2025
年度版

中小

最速合格のための
スピード問題集

② 財務・会計

TAC中小企業診断士講座

TAC出版
TAC PUBLISHING Group

ご注意ください

本書はTAC中小企業診断士講座がこれまでに実施した「公開模試、完成答練、養成答練」から良問を精選、収録したものです。これまでに受講されたことのある方はご注意のうえ、ご利用ください。なお、法改正などに対応させるため、必要に応じて改題しています。

2025年度版「スピード問題集」の刊行にあたって

2005年3月に刊行された本書「スピード問題集」は、インプット用の基本テキストである**「スピードテキスト」シリーズに準拠**した、アウトプット用教材です。試験傾向、つまり難易度や出題領域、問題文の構造などは毎年多少なりとも変化しています。本書に収載する問題は、そのような試験傾向の変化を見ながら毎年2～3割程度を入れ替えていますので、**最新の試験傾向を意識した効率的な学習が可能**となっています。

中小企業診断士試験は非常に範囲の広い試験です。60％の得点で合格できることを考えると、学習領域の取捨選択は大変重要です。

「スピードテキスト」と本書「スピード問題集」を併せてご利用いただければ、適切な領域を、適切な深さまで効率的に学習することが可能です。難易度が高い試験ですが、効率的に学習を進めて合格を勝ち取ってください。

ＴＡＣ　中小企業診断士講座
講師室、事務局スタッフ一同
2024年9月

本書の特色

本書で取り上げている問題は、おおむね小社刊「スピードテキスト」の章立てに沿っています。出題領域も、原則として「スピードテキスト」の内容をベースにしていますので、「スピードテキスト」の学習進度に合わせた問題演習が可能となっています。

チェック欄
演習をした日付を記入するためのチェック欄を設けています。演習は繰り返し行いましょう。

問題 1　**貸借対照表と損益計算書の関連性**　1 ／　2 ／　3 ／

次の表の空欄Aに入る金額として、最も適切なものを下記の解答群から選べ（単位：万円）。

（単位：万円）

期首		期末		収益	費用	純資産の変動		
						当期純損益	その他	
資産	負債	資産	負債				増加	減少
A	450	700	400	580	640	（　）	110	90

〔解答群〕

ア 710
イ 750
ウ 790
エ 830

2

問題ページと解答・解説ページが見開きで、答をかくすシートもついているので、学習しやすい！ 移動時間やランチタイムに、ぜひ活用してください！

『スピードテキスト』とのリンク

各解説の冒頭に、「スピードテキスト」の該当箇所を表示しています。これにより、問題演習時に発生した疑問点についても、よりスムーズに解決することができます。

解説　スピテキLink ▶ 1章1節4項　1章

POINT　貸借対照表と損益計算書の関連性に関する問題である。このような問題では次のように図を描き、与えられている数値を設定して、求めたい箇所を算出すると解きやすくなる。

ポイント

その問題のテーマや要点をまとめています。

期首

資　産	負　債
A	450
	純資産
	(340)

期末

資　産	負　債
700	400
	純資産
	(300)

純資産の増加 20（＝ 110 － 90）
純利益▲ 60（＝ 580 － 640）

期首の純資産＋純資産の増加 20 ＋純利益▲ 60 ＝期末の純資産 300
∴期首の純資産＝ 300 － 20 ＋ 60 ＝ 340

したがって、期首の資産（空欄Ａ）＝ 450 ＋ 340 ＝ 790（万円）となる。

正解 ▶ ウ

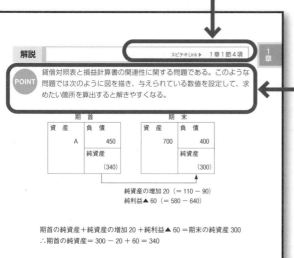

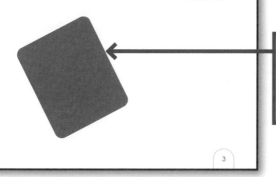

こたえかくすシート

付属のこたえかくすシートで解答・解説を隠しながら学習することができるので、とても便利です。

3

目　次

第1章　財務・会計とは

問題 1　貸借対照表と損益計算書の関連性 ………… 2

第2章　財務諸表概論

問題 2　貸借対照表の構造 ………… 4
問題 3　貸借対照表の表示区分 ………… 8
問題 4　損益計算書の構造 ………… 10

第3章　経営分析

問題 5　経営分析 ………… 12
問題 6　経営分析 ………… 18
問題 7　経営分析 ………… 26
問題 8　経営分析 ………… 28
問題 9　経営分析 ………… 32
問題10　経営分析 ………… 34

第4章　管理会計

問題11　損益分岐点分析 ………… 36
問題12　損益分岐点分析 ………… 38
問題13　損益分岐点分析 ………… 40
問題14　損益分岐点分析 ………… 42
問題15　感度分析 ………… 46
問題16　営業外損益の取り扱い ………… 48
問題17　利益差異分析 ………… 50
問題18　利益差異分析 ………… 52
問題19　セールスミックス ………… 54
問題20　セグメント別損益計算 ………… 56
問題21　セグメント別損益計算 ………… 58
問題22　特別注文受託可否 ………… 60

第5章　意思決定会計（投資の経済性計算）

問題23　設備投資の経済性計算 …… 62
問題24　設備投資の経済性計算 …… 64
問題25　設備投資の経済性計算 …… 66
問題26　設備投資の経済性計算 …… 70
問題27　設備投資の経済性計算 …… 74
問題28　設備投資の経済性計算 …… 78
問題29　設備投資の経済性計算 …… 80
問題30　売却損に伴う節税効果 …… 84
問題31　不確実性下の意思決定 …… 88

第6章　ファイナンスⅠ（企業財務論）

問題32　株式の理論価格 …… 92
問題33　株式の理論価格 …… 96
問題34　株価指標 …… 98
問題35　株式指標 …… 100
問題36　株式指標 …… 102
問題37　債券の価格 …… 104
問題38　フリーキャッシュフロー …… 106
問題39　加重平均資本コストの計算 …… 108
問題40　加重平均資本コスト …… 110
問題41　企業価値 …… 112
問題42　企業価値 …… 114
問題43　企業価値 …… 118
問題44　資金調達構造 …… 122
問題45　財務レバレッジ …… 124
問題46　企業価値（MM理論） …… 126
問題47　企業価値（MM理論） …… 128
問題48　企業価値（MM理論） …… 130

第7章　ファイナンスⅡ（証券投資論）

問題49　ポートフォリオ理論 …… 132
問題50　ポートフォリオ理論 …… 140
問題51　ポートフォリオ理論 …… 144

問題52　ポートフォリオ理論 …… 146
問題53　CAPM …… 148
問題54　CAPM …… 150
問題55　CAPM …… 152
問題56　CAPM …… 154
問題57　先渡・先物取引 …… 156
問題58　為替先物予約 …… 158
問題59　先物取引・先渡取引 …… 160
問題60　オプション取引 …… 162
問題61　オプション取引 …… 164
問題62　オプション取引 …… 168

第8章　貸借対照表および損益計算書の作成プロセス

問題63　貸借対照表の構造 …… 172
問題64　勘定 …… 174
問題65　勘定 …… 178
問題66　商品有高帳 …… 180
問題67　商品有高帳 …… 182
問題68　売上原価 …… 184
問題69　売上原価 …… 186
問題70　貸倒引当金 …… 190
問題71　貸倒引当金 …… 192
問題72　減価償却費 …… 194
問題73　減価償却費 …… 196
問題74　固定資産の売却損益（減価償却費） …… 200
問題75　経過勘定 …… 202
問題76　経過勘定 …… 204
問題77　精算表 …… 208
問題78　本支店会計 …… 212

第9章　キャッシュフロー計算書の作成プロセス

問題79　キャッシュフロー計算書 …… 214
問題80　キャッシュフロー計算書 …… 216
問題81　キャッシュフロー計算書 …… 218
問題82　キャッシュフロー計算書 …… 220

第10章　原価計算

問題83　個別原価計算 …… 222
問題84　個別原価計算 …… 224
問題85　総合原価計算 …… 228
問題86　総合原価計算 …… 230
問題87　標準原価計算 …… 232

第11章　会計規則

問題88　企業会計原則 …… 234
問題89　減損会計 …… 236
問題90　減損会計 …… 238
問題91　株主資本等変動計算書 …… 240
問題92　剰余金の配当による準備金の計上 …… 244
問題93　剰余金の配当による準備金の計上 …… 246
問題94　リース取引 …… 248
問題95　税効果会計 …… 250
問題96　税効果会計 …… 252
問題97　税効果会計 …… 254
問題98　連結財務諸表に関する会計基準 …… 260
問題99　連結財務諸表に関する会計基準 …… 262
問題100　資産除去債務 …… 264

財務・会計

問題 1　貸借対照表と損益計算書の関連性

1 ／　2 ／　3 ／

次の表の空欄Aに入る金額として、最も適切なものを下記の解答群から選べ。

（単位：万円）

期首		期末		収益	費用	純資産の変動		
						当期純損益	その他	
資産	負債	資産	負債				増加	減少
A	410	700	430	810	900	(　　)	130	110

〔解答群〕

ア　710万円

イ　750万円

ウ　790万円

エ　850万円

解説

スピテキLink ▶　1章1節4項

POINT 貸借対照表と損益計算書の関連性に関する問題である。このような問題では次のような図を描き、与えられた数値を設定して、求めたい箇所を算出すると解きやすくなる。

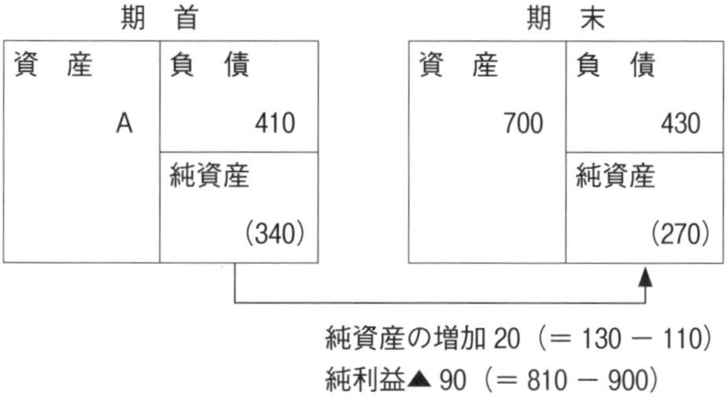

期首の純資産＋純資産の増加 20 ＋純利益▲ 90 ＝期末の純資産 270
期首の純資産＝ 270 － 20 ＋ 90 ＝ 340

したがって、期首の資産（空欄 A）＝ 410 ＋ 340 ＝ 750（万円）となる。

正解 ▶ イ

問題 2　貸借対照表の構造

1 ／ 2 ／ 3 ／

以下の資料（貸借対照表の勘定科目と数値）に基づいて、次の各設問に答えよ。

【資　料】　（単位：百万円）

受取手形	200	利益準備金	30	未収収益	20
備品	100	長期貸付金	100	資本金	250
建物	200	支払手形	100	退職給付引当金	50
短期借入金	200	前払費用	30	建設仮勘定	50
商品	300	未払費用	50	資本準備金	20
買掛金	100	商標権	100	任意積立金	300
売掛金	100	繰越利益剰余金	100	現金及び預金	100
社債	100				

設問 1　資産の部

当該貸借対照表の流動資産と固定資産の数値の組み合わせとして最も適切なものはどれか（単位：百万円）。

ア　流動資産：730　固定資産：570
イ　流動資産：750　固定資産：550
ウ　流動資産：770　固定資産：550
エ　流動資産：800　固定資産：500

設問 2　負債・純資産の部

当該貸借対照表の流動負債、固定負債、純資産の数値の組み合わせとして最も適切なものはどれか（単位：百万円）。

ア　流動負債：400　固定負債：200　純資産：250
イ　流動負債：450　固定負債：150　純資産：250
ウ　流動負債：450　固定負債：150　純資産：700
エ　流動負債：500　固定負債：100　純資産：700

解説

スピテキLink▶　2章2節1～4項

貸借対照表とは、企業の資金調達源泉と運用形態の一覧表である。
与えられた資料を並び替えて貸借対照表を作成すると、次のようになる。

貸借対照表

（単位：百万円）

流動資産	(750)	流動負債	(450)
現金及び預金	100	支払手形	100
受取手形	200	買掛金	100
売掛金	100	短期借入金	200
商品	300	未払費用	50
前払費用	30	固定負債	(150)
未収収益	20	社債	100
固定資産	(550)	退職給付引当金	50
建物	200	純資産	(700)
備品	100	資本金	250
建設仮勘定	50	資本準備金	20
商標権	100	利益準備金	30
長期貸付金	100	任意積立金	300
		繰越利益剰余金	100
資産合計	1,300	負債・純資産合計	1,300

設問 1

POINT 流動資産と固定資産の各勘定科目名を正確に把握することが重要である。特にここでは、経過勘定である前払費用と未収収益を流動資産の項目に分類できたかがポイントである（単位：百万円）。

イ　○：流動資産＝100（現金及び預金）＋200（受取手形）＋100（売掛金）
＋300（商品）＋30（前払費用）＋20（未収収益）＝750
固定資産＝200（建物）＋100（備品）＋50（建設仮勘定）
＋100（商標権）＋100（長期貸付金）＝550

正解 ▶ イ

設問 2

POINT

設問 1 と同様に、貸借対照表の区分とその構成要素をしっかり把握することが求められる。経過勘定である未払費用を流動負債に分類できたか、さらに、負債性引当金である退職給付引当金を固定負債に分類できたかがこの問題のポイントである。参考までに、経過勘定の区分を下記に示すので、しっかりと把握していただきたい（単位：百万円）。

前払費用（前払家賃など）、未収収益（未収利息など）：流動資産
前受収益（前受家賃など）、未払費用（未払利息など）：流動負債

ウ　○：流動負債＝100（支払手形）＋100（買掛金）＋200（短期借入金）
＋50（未払費用）
＝450
固定負債＝100（社債）＋50（退職給付引当金）
＝150
純 資 産＝250（資本金）＋20（資本準備金）＋30（利益準備金）
＋300（任意積立金）＋100（繰越利益剰余金）
＝700

正解 ▶ ウ

Memo

問題 3　貸借対照表の表示区分

1 ／　2 ／　3 ／

貸借対照表の表示に関する記述として、最も適切なものはどれか。

ア　たな卸資産のうち恒常在庫品として保有するもの若しくは余剰品として長期間にわたって所有するものは、固定資産として分類される。

イ　前払費用については、貸借対照表日の翌日から起算して一年を超える期間を経て費用となるものは、投資その他の資産に属する。

ウ　固定資産のうち残存耐用年数が一年以下となったものは、流動資産として分類される。

エ　自己株式の取得は、他社の株式を取得する場合と同様に処理される。

解説

スピテキLink▶ 2章2節1・2項

POINT 貸借対照表の表示に関する問題である。各資産・負債の項目が流動・固定のいずれに属するのかなどを整理しておきたい。

ア ×：たな卸資産（商品、製品、半製品、原材料、仕掛品等）のうち恒常在庫品として保有するもの若しくは余剰品として長期間にわたって所有するものは、固定資産とせず流動資産として分類される。

イ ○：正しい。前払費用については、貸借対照表日の翌日から起算して一年以内に費用となるものは、流動資産に属するものとし、一年をこえる期間を経て費用となるものは、投資その他の資産に属するものとする。

貸借対照表

流動資産 　**前払費用** 固定資産 　投資その他の資産 　　**長期前払費用**	

ウ ×：固定資産のうち残存耐用年数が一年以下となったものは、流動資産とせず、固定資産として分類される。

エ ×：自己株式を取得した場合には、取得原価をもって、純資産の部の株主資本から控除する形式で表示するため、他社の株式を取得した場合とは処理が異なる。

正解 ▶ イ

問題 4　損益計算書の構造

1 ／　2 ／　3 ／

次の項目に基づき、損益計算書における営業利益の金額として最も適切なものはどれか。

総売上高	1,000	当期商品仕入高	750	期首商品棚卸高	30
期末商品棚卸高	50	仕入値引	50	売上割引	10
販売費・一般管理費	250				

ア　30
イ　60
ウ　70
エ　120

解説

スピテキLink ▶ 2章3節1・2項、8章5節1項

POINT 損益計算書における営業利益に関する問題である。与えられた資料の仕入値引は、仕入高から控除することになるが、売上割引は営業外費用に区分されるため、営業利益の計算上、考慮する必要がない。

売上割引（早期決済により売上側で掛代金の一部を免除した金額）については、支払利息的性格を有するため、「売上割引」という費用の勘定で処理することになり、営業外費用に計上する。「売上」という文字が付くが、収益項目ではないことに注意する。

営業利益までの計算過程は次のようになる。

売　上　高		1,000	
売 上 原 価			
期首商品棚卸高	30		
当期商品仕入高	700		（仕入高 750 －仕入値引 50）
合　計	730		
期末商品棚卸高	50	680	
売上総利益		320	
販売費・一般管理費		250	
営 業 利 益		70	

正解 ▶ ウ

問題 5 経営分析

1 ／ 2 ／ 3 ／

Ｂ社の前期と当期の比較要約貸借対照表と当期の要約損益計算書に基づいて以下の各設問に答えよ（単位：千円）。

比較要約貸借対照表

	前期	当期		前期	当期
現金及び預金	180	200	買入債務	600	500
売上債権	600	500	長期借入金	600	900
棚卸資産	220	300	資本金	1,000	1,000
固定資産	1,400	1,700	利益剰余金	400	600
繰延資産	200	300			
	2,600	3,000		2,600	3,000

要約損益計算書

売上高	7,000
売上原価	4,000
（　？　）	3,000
販管費	1,500
（　？　）	1,500
営業外収益	400
営業外費用	500
（　？　）	1,400
特別損失	900
（　？　）	500
法人税、住民税及び事業税	200
当期純利益	300

（注）要約損益計算書の（？）には各段階の利益が入る。

設問 1 当座比率

Ｂ社の当期の当座比率として最も適切なものはどれか。

ア 130%　**イ** 140%　**ウ** 150%　**エ** 160%　**オ** 170%

設問 2　ROE

B社の当期のROEとして最も適切なものはどれか。

ア　10%　　**イ**　19%　　**ウ**　20%　　**エ**　30%　　**オ**　32%

設問 3　売上高経常利益率

B社の当期の売上高経常利益率として最も適切なものはどれか。

ア　4%　　**イ**　7%　　**ウ**　20%　　**エ**　21%　　**オ**　42%

設問 4　棚卸資産回転率

B社の当期の棚卸資産回転率として最も適切なものはどれか。

ア　19回　　**イ**　21回　　**ウ**　23回　　**エ**　25回　　**オ**　27回

設問 5　総資本回転率

B社の当期の総資本回転率として最も適切なものはどれか。

ア　2.2回　　**イ**　2.3回　　**ウ**　2.4回　　**エ**　2.5回　　**オ**　2.6回

設問 6　固定長期適合率

B社の当期の固定長期適合率について述べた次の文章のうち最も適切なものはどれか。

ア　B社の当期の固定長期適合率は68%であり、この比率は100%以下であることが必要である。

イ　B社の当期の固定長期適合率は68%であり、この比率は100%以上であることが必要である。

ウ　B社の当期の固定長期適合率は147%であり、この比率は100%以下であることが必要である。

エ　B社の当期の固定長期適合率は147%であり、この比率は100%以上であることが必要である。

オ　B社の当期の固定長期適合率は75%であり、この比率は100%以下であることが必要である。

解説

スピテキLink▶　3章2節2・3項、3節2項、4節2項

設問 1

POINT

当座比率は支払能力を評価するためのきわめて重要な指標であり、100%以上であることが望ましい。また、この比率は次の計算式で求める。

$$当座比率=\frac{当座資産（※）}{流動負債}\times 100=\frac{700}{500}\times 100=140（\%）$$

※当座資産＝現金預金＋売上債権＝200＋500＝700

イ　○：当座比率＝140%

正解　▶　イ

設問 2

POINT

ROEとは自己資本利益率のことであり次の計算式で求める。

$$ROE（自己資本利益率）=\frac{当期純利益}{自己資本（※）}\times 100=\frac{300}{1,500}\times 100=20（\%）$$

※資本利益率は、1期間のフロー（利益、売上）と1時点のストック（資本）から算定される。基準を合わせるためにストックについては、原則として期中平均値を用いることになる。

$$自己資本=\frac{前期自己資本+当期自己資本}{2}=\frac{1,400+1,600}{2}=1,500$$

ウ　○：自己資本利益率＝20%

正解　▶　ウ

設問 3

POINT

問題の資料の要約損益計算書の空欄に入る各段階の利益は、上から順に売上総利益、営業利益、経常利益、税引前当期純利益となる。よって、経常利益は1,400である。

売上高経常利益率は次の計算式で求める。

$$売上高経常利益率 = \frac{経常利益}{売上高} \times 100 = \frac{1,400}{7,000} \times 100 = 20(\%)$$

ウ ○：売上高経常利益率＝20％

正解 ▶ ウ

設問 4

POINT

棚卸資産回転率とは棚卸資産の消化速度を示しており、この比率が高いほど棚卸資産の消化（販売）速度が速いといえる。

棚卸資産回転率は次の計算式で求める。

$$棚卸資産回転率 = \frac{売上高}{棚卸資産(※)} = \frac{7,000}{260} \fallingdotseq 27(回)$$

$$※棚卸資産 = \frac{前期棚卸資産 + 当期棚卸資産}{2} = \frac{220 + 300}{2} = 260$$

オ ○：棚卸資産回転率＝27回

正解 ▶ オ

設問 5

POINT 総資本回転率は次の計算式で求める。

$$総資本回転率=\frac{売上高}{総資本（※）}=\frac{7,000}{2,800}=2.5（回）$$

$$※総資本=\frac{前期総資本+当期総資本}{2}=\frac{2,600+3,000}{2}=2,800$$

エ ○：総資本回転率＝2.5回

正解 ▶ エ

設問 6

POINT 固定長期適合率とは1年を超えて運用されている固定資産が、長期資本によってどの程度カバーされているのかを示す指標である。固定資産は長期にわたって資本が拘束されるため、その調達源泉は長期資本であるべきであり、固定長期適合率は100%以下であることが必要である。

固定長期適合率は次の計算式で求める。

$$固定長期適合率=\frac{固定資産}{自己資本+固定負債}\times 100=\frac{1,700}{1,600+900}\times 100$$

$$=68（\%）$$

ア ○：固定長期適合率は68%であり、100%以下であることが必要である。

正解 ▶ ア

Memo

問題 6　経営分析

1／ 2／ 3／

A社の第10期の貸借対照表（要旨）と損益計算書（要旨）に基づいて、以下の各設問に答えよ（単位：千円）。

貸借対照表（要旨）

現金及び預金	5,000	支払手形	11,500
受取手形	15,000	買掛金	8,500
売掛金	10,000	短期借入金	5,000
有価証券	15,000	社債	10,000
棚卸資産	5,000	退職給付引当金	5,000
建物	13,500	資本金	40,000
土地	21,500	資本準備金	5,000
建設仮勘定	7,700	利益準備金	5,000
投資有価証券	7,300	任意積立金	4,000
		繰越利益剰余金	6,000
	100,000		100,000

損益計算書（要旨）

売上高	（？）
売上原価	（？）
売上総利益	（？）
販管費	51,500
営業利益	25,000
受取利息	2,000
支払利息	1,500
経常利益	25,500
特別損失	18,300
税引前当期純利益	7,200
法人税、住民税及び事業税	2,400
当期純利益	4,800

設問 1　経営分析の手法

経営分析の手法に関して、次の【A群】【B群】【C群】の選択肢のうち最も適切なものの組み合わせを下記の解答群から選べ。

【A群】（1）収益性分析
（2）流動性分析
（3）効率性分析
（4）生産性分析

【B群】（ⅰ）企業の経営安定度を計るための分析手法
（ⅱ）資本の使用効率性を計るための分析手法
（ⅲ）企業の収益獲得能力を計るための分析手法

【C群】（Ⅰ）棚卸資産回転率
（Ⅱ）流動比率
（Ⅲ）総資本経常利益率

〔解答群〕

ア　（1）－（ⅲ）－（Ⅱ）　**イ**　（2）－（ⅱ）－（Ⅱ）
ウ　（3）－（ⅱ）－（Ⅰ）　**エ**　（4）－（ⅰ）－（Ⅲ）

設問 2　売上高売上原価率の計算

A社の売上高経常利益率が15%であるとき、売上高売上原価率として最も適切な数値はどれか。

ア　40%　　**イ**　45%　　**ウ**　50%　　**エ**　55%

設問 3　ROAの計算

A社のROAとして最も適切な数値はどれか。

ア　23%　　**イ**　25%　　**ウ**　27%　　**エ**　29%

設問 4　ROEの計算

A社のROEとして最も適切な数値はどれか。

ア　6%　　**イ**　8%　　**ウ**　10%　　**エ**　12%

設問 5　流動比率と当座比率の計算

A社の流動比率、当座比率について、最も適切な数値の組み合わせを下記の解答群から選べ。

〔解答群〕

ア　流動比率：180%　当座比率：120%
イ　流動比率：180%　当座比率：180%
ウ　流動比率：200%　当座比率：120%
エ　流動比率：200%　当座比率：180%

設問 6　経営資本回転率の計算

Ａ社の経営資本回転率として最も適切な数値はどれか。

ア　2回　　**イ**　2.5回　　**ウ**　3回　　**エ**　3.5回

設問 7　棚卸資産回転率の計算と意味

Ａ社の棚卸資産回転率について述べた次の文章のうち最も適切なものはどれか。

ア　Ａ社の棚卸資産回転率は34回であり、この比率が低いほど棚卸資産の消化（販売）速度が速いといえる。
イ　Ａ社の棚卸資産回転率は34回であり、この比率が高いほど棚卸資産の消化（販売）速度が速いといえる。
ウ　Ａ社の棚卸資産回転率は20回であり、この比率が低いほど棚卸資産の消化（販売）速度が速いといえる。
エ　Ａ社の棚卸資産回転率は20回であり、この比率が高いほど棚卸資産の消化（販売）速度が速いといえる。

解説

スピテキLink▶ 3章2節2・3項、3節2項、4節2・3項

設問 1

POINT 経営分析手法には、収益性分析、流動性分析、効率性分析、生産性分析、および成長性分析があり、それぞれの分析目的に適合した経営比率を計算し、その数値の良否を評価しながら、企業の問題点を分析していく。

ア ×：収益性分析とは、企業の収益獲得能力を計るための分析手法であり、主な指標として総資本経常利益率、売上高総利益率、売上高売上原価率などがあげられる。

イ ×：流動性分析とは、企業の経営安定度を計るための分析手法であり、主な指標として流動比率、固定比率、自己資本比率などがあげられる。

ウ ○：正しい。効率性分析とは、資本の使用効率性を計るための分析手法であり、主な指標として総資本回転率、売上債権回転率、棚卸資産回転率などがあげられる。

エ ×：生産性分析とは、生産諸要素がどれだけ効率的に生産に寄与したかを計るための分析手法であり、主な指標として付加価値生産性などがある。

正解 ▶ ウ

設問 2

POINT 売上高売上原価率は、売上高に対する売上原価の占める割合を表した比率であり、単に原価率ともよばれている。この指標値は低いほど望ましい。本問では、損益計算書の経常利益と売上高経常利益率を使って売上高を計算し、営業利益に販管費を加算することで売上総利益を求め、売上高と売上総利益から売上原価を計算する（単位：千円）。

売上高をXとおくと、

$$売上高経常利益率=\frac{経常利益}{売上高}\times 100=\frac{25{,}500}{X}\times 100=15(\%)$$

$\therefore \quad X = 170{,}000$

売上総利益＝25,000（営業利益）＋51,500（販管費）＝76,500

売 上 原 価＝170,000（売上高）－76,500（売上総利益）＝93,500

エ ○：売上高売上原価率＝$\dfrac{\text{売上原価}}{\text{売上高}} \times 100 = \dfrac{93{,}500}{170{,}000} \times 100 = 55$（%）

正解 ▶ エ

設問 3

POINT ROA（総資本事業利益率）は、投下した総資本に対し、どれだけの事業利益を上げているかを分析する収益性分析の指標であり、指標の数値は高いほうが望ましい。なお、事業利益は「営業利益＋受取利息・配当金」で求めることができる（単位：千円）。

ウ ○：事業利益＝25,000（営業利益）＋2,000（受取利息・配当金）＝27,000

ROA＝$\dfrac{\text{事業利益}}{\text{総資本}} \times 100 = \dfrac{27{,}000}{100{,}000} \times 100 = 27$（%）

正解 ▶ ウ

設問 4

POINT ROE（自己資本当期純利益率）は、投下した自己資本に対してどれだけ当期純利益を上げているかを分析する収益性分析の指標であり、指標の数値は高いほうが望ましい。この指標を株主資本利益率とよぶこともある（単位：千円）。

イ ○：自己資本＝40,000（資本金）＋5,000（資本準備金）
＋5,000（利益準備金）＋4,000（任意積立金）
＋6,000（繰越利益剰余金）＝60,000

$$ROE = \frac{当期純利益}{自己資本} \times 100 = \frac{4,800}{60,000} \times 100 = 8\ (\%)$$

正解 ▶ イ

設問 5

POINT 流動比率とは、流動負債と流動資産の関係において、企業が短期的な支払手段を十分確保しているかを分析する短期安全性分析の指標であり、指標の数値は高いほうが望ましい。理想的には200%以上が望ましいが、少なくとも100%以上あることが必要である。一方、当座比率は、当座資産（流動資産から棚卸資産等を控除したもの）と流動負債の関係において、企業が短期的な支払手段を十分確保しているかを分析する短期安全性分析の指標であり、この指標の数値は高いほうが望ましく、100%以上あることが理想的である。当座資産を用いるのは、企業の支払能力を厳しく判断する際にすぐに現金化できるものを考えるためである（単位：千円）。

エ ○：流動資産＝5,000（現金及び預金）＋15,000（受取手形）＋10,000（売掛金）＋15,000（有価証券）＋棚卸資産（5,000）＝50,000

当座資産＝5,000（現金及び預金）＋15,000（受取手形）＋10,000（売掛金）＋15,000（有価証券）＝45,000

流動負債＝11,500（支払手形）＋8,500（買掛金）＋5,000（短期借入金）＝25,000

$$流動比率 = \frac{流動資産}{流動負債} \times 100 = \frac{50,000}{25,000} \times 100 = 200\ (\%)$$

$$当座比率 = \frac{当座資産}{流動負債} \times 100 = \frac{45,000}{25,000} \times 100 = 180\ (\%)$$

正解 ▶ エ

設問 6

POINT 経営資本回転率は、経営資本（ストック）と一定期間に計上する売上高（フロー）との関係の中で、ストックの使用効率性を分析する指標である。よって、少ないストックで高いフローを獲得している状態、つまり回転率が高い状態が望ましい。なお、経営資本とは、「総資産－建設仮勘定－投資その他の資産」で求めることができる（単位：千円）。

ア ○：経営資本＝100,000（総資産）－7,700（建設仮勘定）－7,300（投資有価証券）＝85,000

$$経営資本回転率=\frac{売上高}{経営資本}=\frac{170,000}{85,000}=2(回)$$

正解 ▶ ア

設問 7

POINT 棚卸資産回転率は、仕掛品や製品を含めた棚卸資産の消化速度を示しており、販売能率および資本利用の経済性を判断する基本的な比率である。この比率が高いほど棚卸資産の消化（販売）速度が速いといえる。また、棚卸資産回転率は次のように計算される（単位：千円）。

$$棚卸資産回転率=\frac{売上高}{棚卸資産}=\frac{170,000}{5,000}=34(回)$$

ア ×：棚卸資産回転率は34回であり前半の記述は正しいが、この比率が低いほど棚卸資産の消化（販売）速度が遅いので、誤りである。

イ ○：正しい。棚卸資産の回転率は34回であり、この比率が高いほど棚卸資産の消化（販売）速度が速いといえる。

ウ ×：選択肢イを参照のこと。

エ ×：選択肢イを参照のこと。

正解 ▶ イ

Memo

問題 7 経営分析

1 ／ 2 ／ 3 ／

財務諸表（要約）は次のとおりである。財政状態に関する記述として、最も不適切なものを下記の解答群から選べ。

貸借対照表（要約）　　（単位：百万円）

資　産	X1 年	X2 年	負債・純資産	X1 年	X2 年
流動資産	280	400	流動負債	300	360
固定資産	360	300	固定負債	150	140
			純資産(自己資本)	190	200
合　計	640	700	合　計	640	700

〔解答群〕

ア　正味運転資本は増加している。

イ　流動比率は改善している。

ウ　固定比率は悪化している。

エ　負債比率は悪化している。

解説

スピテキLink▶　3章4節2～4項、6節1項

POINT

経営分析に関する問題である。経営分析は、1次試験、2次試験ともに頻出の論点であり、経営指標は確実に覚えておく必要がある。特に、安全性の経営指標に関しては、流動比率と当座比率の違い、固定比率と固定長期適合率の違いに注意しよう。

以下、各選択肢の数値結果である。

	X1年	X2年	状態	計算式
正味運転資本	△20	40	増加	流動資産－流動負債
流動比率	93.3%	111.1%	改善	流動資産÷流動負債×100(%)
固定比率	189.5%	150%	改善	固定資産÷自己資本×100(%)
負債比率	236.8%	250%	悪化	負債総額÷自己資本×100(%)

ただし、精緻に計算せずとも、分数で比較することも可能である。たとえば、流動比率であれば、X1年：280/300、X2年：400/360となり、計算せずともX2年の方が大きいことが把握できる。ただし、固定比率（あるいは固定長期適合率）および負債比率は、比率が低い方が望ましい点に注意する。

正解 ▶ ウ

問題 8 経営分析

1 ／ 2 ／ 3 ／

当社の貸借対照表（要約）と損益計算書（要約）は次のとおりである。これらに基づき、以下の設問に答えよ。

貸借対照表（要約）　（単位：百万円）

資　産	前期	当期	負債・純資産	前期	当期
現金預金	120	80	仕入債務	80	70
売上債権	200	180	短期借入金	180	200
棚卸資産	50	20	長期借入金	300	260
建物等	300	310	資本金	130	130
器具備品等	100	80	剰余金	180	120
建設仮勘定	50	0			
投資その他の資産	50	110			
合　計	870	780	合　計	870	780

損益計算書（要約）（単位：百万円）

	前期	当期
売上高	1,200	1,000
営業費用	1,050	860
営業利益	150	140
経常利益	100	70
法人税等	30	21
当期純利益	70	49

設問 1 当座比率、固定長期適合率、負債比率

当座比率、固定長期適合率、負債比率の値の前期から当期の変化（良好、あるいは悪化）の組み合わせとして、最も適切なものはどれか。

ア 当座比率：良好　固定長期適合率：良好　負債比率：良好
イ 当座比率：悪化　固定長期適合率：良好　負債比率：良好
ウ 当座比率：悪化　固定長期適合率：悪化　負債比率：良好
エ 当座比率：悪化　固定長期適合率：悪化　負債比率：悪化

設問 2　自己資本比率、ROE

当期の自己資本比率、自己資本利益率（ROE）の値の前期から当期の変化（良好、あるいは悪化）の組み合わせとして、最も適切なものはどれか。

ア　自己資本比率：良好　　ROE：良好
イ　自己資本比率：良好　　ROE：悪化
ウ　自己資本比率：悪化　　ROE：良好
エ　自己資本比率：悪化　　ROE：悪化

解説

スピテキLink▶　3章2節2項、4節2～4項

設問 1

POINT 安全性の経営指標（当座比率と固定長期適合率など）に関する問題である。貸借対照表から、当座資産や流動負債などをあらかじめ計算しておくと良い。

当座 320　当座 260　流動 260　流動 270

資　産	前期	当期	負債・純資産	前期	当期
現金預金	120	80	仕入債務	80	70
売上債権	200	180	短期借入金	180	200
棚卸資産	50	20	長期借入金	300	260
建物等	300	310	資本金	130	130
器具備品等	100	80	剰余金	180	120
建設仮勘定	50	0			
投資その他の資産	50	110			
合　計	870	780	合　計	870	780

固定 500　固定 500　自己 310　自己 250

各種経営指標を計算すると、以下のようになる（小数点以下第2位を四捨五入）。精緻に計算せずとも、分数で比較することも可能なものもある（たとえば、当座比率であれば、前期：320/260、当期：260/270となり、計算せずとも前期の方が良好であることがわかる）。

経営指標	前期	当期	評価	計算式
当座比率	123.1%	96.3%	悪化	当座資産÷流動負債×100（%）
固定長期適合率	82.0%	98.0%	悪化	固定資産÷(固定負債+自己資本)×100(%)
負債比率	180.6%	212%	悪化	負債÷自己資本×100（%）

当座比率は、前期に比べ当期の方が低いため、当期の方が悪化している。一方、固定長期適合率と負債比率は、前期に比べ当期の方が高いため、当期の方が悪化している。固定長期適合率（固定比率含む）や負債比率は、比率が低い方が望ましい点に注意する。

正解 ▶ エ

設問 2

POINT
自己資本比率、自己資本利益率（ROE）が問われている。
各経営指標の数値の計算および良否判断を確実に処理できるようにしておきたい。

各種経営指標を計算すると、以下のようになる（小数点以下第 2 位を四捨五入）。

経営指標	前期	当期	評価	計算式
自己資本比率	35.6%	32.1%	悪化	自己資本÷総資本×100（%）
自己資本利益率	22.6%	19.6%	悪化	当期純利益÷自己資本×100（%）

自己資本比率、自己資本利益率はいずれも高い方がよい。したがって、どちらもともに当期の方が悪化している。

正解 ▶ エ

問題 9　経営分析

1 ／ 2 ／ 3 ／

次の資料に基づき、自己資本純利益率（ROE）として、最も適切なものを下記の解答群から選べ（単位：%）。

【資　料】

売上高純利益率	4 %
自己資本比率	50 %
総資本回転率	2.0 回

〔解答群〕

ア　12
イ　14
ウ　16
エ　20

解説

スピテキLink▶　3章2～4節

POINT 自己資本純利益率（ROE）の計算に関する問題である。数式のパズル的な問題である。与えられた経営指標から、自己資本純利益率を計算するにあたって、必要な計算要素を抽出する必要がある。

まず、資料の数式を展開すると、次のようになる。

$$売上高純利益率=\frac{純利益}{売上高}\times 100$$

$$自己資本比率=\frac{自己資本}{総資本}\times 100$$

$$総資本回転率=\frac{売上高}{総資本}$$

自己資本純利益率は、自己資本と純利益の2つの要素が必要であるが、自己資本は自己資本比率に、純利益は売上高純利益率にあることがわかる。

$$自己資本純利益率=\frac{純利益}{自己資本}\times 100$$

$$=\frac{純利益}{売上高}\times\frac{売上高}{総資本}\times\frac{総資本}{自己資本}$$

$$=売上高純利益率\times 総資本回転率\div 自己資本比率$$

したがって、

自己資本純利益率＝４％×2.0÷50％＝0.16（16％）

となる。

よって、ウが正解である。

数式の展開からでなくとも、具体的な数値を設定することで求めることもできる。たとえば、売上高を100と設定すれば、与えられた経営指標から、総資本が50、純利益が４、自己資本が25と計算される。したがって、純利益４÷自己資本25＝0.16（16％）として同じ結果を導くことができる。

正解 ▶ ウ

問題 10 経営分析

1 ／ 2 ／ 3 ／

20X1 年における財務比率（生産性）に関する記述として、最も適切なものを下記の解答群から選べ。

【資　料】

	20X1 年（実績）
資産合計	1,200 百万円
有形固定資産合計	400 百万円
売上高	1,500 百万円
付加価値	300 百万円
うち人件費	150 百万円
従業員数	50 人

〔解答群〕

ア　付加価値率は15(%) である。

イ　労働生産性は 6 (百万円/人) である。

ウ　労働装備率は 3 (百万円/人) である。

エ　労働分配率は10(%) である。

解説

スピテキLink▶ 3章5節

POINT 経営分析（生産性）に関する問題である。経営分析は、生産性の指標は頻出論点ではないが、出題されたときのために計算式を覚えておきたい。

	財務比率	計算式
ア	付加価値率	付加価値÷売上高×100＝300÷1,500×100＝20（%）
イ	労働生産性	付加価値÷従業員数＝300÷50＝6（百万円/人）
ウ	労働装備率	有形固定資産÷従業員数＝400÷50＝8（百万円/人）
エ	労働分配率	人件費÷付加価値×100＝150÷300×100＝50（%）

正解 ▶ イ

問題 11 損益分岐点分析

1 ／ 2 ／ 3 ／

A社の当期の売上高は20,000千円、費用は以下のとおりである。なお、販売費及び一般管理費はすべて固定費である。下記の設問に答えよ。

変動製造費用	10,000 千円
固定製造費用	5,500 千円
販売費及び一般管理費	3,000 千円

設問 1 損益分岐点売上高

A社の当期の損益分岐点売上高として最も適切なものはどれか（単位：千円）。

ア 15,000
イ 17,000
ウ 18,500
エ 19,500

設問 2 目標売上高

翌期において、目標損益分岐点比率75%を達成するときの目標売上高として、最も適切なものはどれか（単位：千円）。ただし、翌期は、固定製造費用が500千円増加すると見込まれており、その他の費用構造については変化しないものとする。

ア 20,500
イ 22,000
ウ 24,000
エ 26,500

解説

スピテキLink▶　4章1節1～4項

POINT　損益分岐点分析に関する問題である。変動費率と固定費を明らかにして損益分岐点売上高を計算する。そして、損益分岐点売上高と損益分岐点比率との関係を用いて目標売上高を計算する。

設問 1

当期の損益分岐点売上高が問われている。

変動費率および固定費を求め、損益分岐点売上高を計算する。

●変動費率＝10,000÷20,000＝0.5（50％）

●固定費＝5,500＋3,000＝8,500（千円）

●損益分岐点売上高の基本計算式「S－αS－FC＝0」より、

S－0.5S－8,500＝0

0.5S＝8,500

S＝17,000（千円）

正解 ▶ イ

設問 2

損益分岐点比率75％を達成するときの目標売上高が問われている。「損益分岐点比率＝損益分岐点売上高÷売上高×100」である。損益分岐点比率は与えられているため、損益分岐点売上高を求めることにより目標売上高を計算する。

①　損益分岐点売上高

S－0.5S－（8,500＋500）＝0

0.5S＝9,000

∴S＝18,000（千円）

②　目標売上高

損益分岐点比率0.75＝18,000÷S

両辺にSを乗じて、

0.75S＝18,000

∴S＝24,000（千円）

正解 ▶ ウ

問題12 損益分岐点分析

1 ／ 2 ／ 3 ／

当工場では、単一製品Xを製造・販売している。当期における実績値は次のとおりであった。当期の生産量は800個、販売量は600個（単価1,000円）であるとき、損益分岐点比率として、最も適切なものを下記の解答群から選べ（単位：%）。なお、仕掛品および期首製品は存在しないものとする。

【資　料】

製造原価		販売費及び一般管理費	
直接材料費	200円／個	変動販売費	100円／個
直接労務費	160円／個	固定販売費・一般管理費	66,000円
製造間接費			
変動費	140円／個		
固定費	150,000円		

〔解答群〕

ア 78%

イ 80%

ウ 88%

エ 90%

オ 94%

解説

スピテキLink▶　4章1節1〜4項

POINT

CVP分析に関する問題である。損益分岐点比率が問われている。損益分岐点比率を計算するためには、損益分岐点売上高、および売上高の2つのデータが必要である。特に、損益分岐点売上高の計算に必要な情報を正確に抽出、処理できたかを確認しておきたい。

① 損益分岐点売上高

売上高：1,000円/個×600個＝600,000円

変動費：(200＋160＋140＋100)円/個×600個＝360,000円

固定費：150,000円＋66,000円＝216,000円

「S－αS－FC＝P」より損益分岐点売上高を計算すると次のとおりである。

変動費率α：360,000÷600,000＝0.6

損益分岐点売上高S：S－0.6S－216,000円＝0

∴S＝540,000(円)

② 損益分岐点比率

損益分岐点売上高÷売上高×100＝540,000÷600,000×100＝90(％)

正解　▶ エ

問題13 損益分岐点分析

1 ／ 2 ／ 3 ／

次年度の見込みは、売上高が20,000万円、営業利益が1,000万円、限界利益率が40%である。次年度の目標損益分岐点比率を80%とした場合、固定費を削減することで実現したい。このとき、固定費の削減額として、最も適切なものはどれか。

ア 600万円
イ 1,000万円
ウ 1,200万円
エ 1,600万円

解説

スピテキLink▶　4章1節1～4項

POINT

CVP分析の計算に関する問題である。目標損益分岐点比率80%を達成するための固定費削減額が問われている。①まず、現時点の固定費を計算した上で、②目標損益分岐点比率80%での固定費を計算し、差額計算をすればよい。

① 現時点の固定費

20,000×限界利益率0.4－FC＝1,000

∴　FC＝7,000（万円）

② 目標損益分岐点比率80%での固定費

20,000×0.8×限界利益率0.4－FC＝0

∴　FC＝6,400（万円）

したがって、

現時点の固定費7,000－損益分岐点比率80%のときの固定費6,400＝600（万円）

正解 ▶ ア

4章

問題14 損益分岐点分析

1 ／ 2 ／ 3 ／

次の前期と当期のデータに基づき、損益分岐点比率の変化に関する記述として、最も適切なものはどれか。

損益計算書のデータ

（単位：千円）

	前　期	当　期
売　上　高	30,000	36,000
変　動　費	15,000	21,600
限界利益	15,000	14,400
固　定　費	14,500	12,200
営業利益	500	2,200

ア　損益分岐点比率が前期よりも改善したのは、変動費率の低下による。
イ　損益分岐点比率が前期よりも改善したのは、固定費の減少による。
ウ　損益分岐点比率が前期よりも悪化したのは、変動費率の上昇による。
エ　損益分岐点比率が前期よりも悪化したのは、固定費の増加による。

解説

スピテキLink▶　4章1節3・4項

POINT　損益分岐点分析に関する問題である。前期と当期の損益分岐点比率の比較とその増減の要因が問われている。前期と当期のデータが与えられており、これを用いて損益分岐点売上高と損益分岐点比率を計算することになる。

① 前期の損益分岐点比率

損益分岐点売上高をSとすれば、

変動費率＝変動費15,000÷売上高30,000＝0.5（50%）

より、

S－0.5S－14,500＝0

∴　S＝14,500÷0.5＝29,000（千円）

となる。

よって、

損益分岐点比率＝損益分岐点売上高÷売上高×100
＝29,000÷30,000×100≒96.7（%）

となる。

② 当期の損益分岐点比率

損益分岐点売上高をSとすれば、

変動費率＝変動費21,600÷売上高36,000＝0.6（60%）

より、

S－0.6S－12,200＝0

∴　S＝12,200÷0.4＝30,500（千円）

となる。

よって、

損益分岐点比率＝損益分岐点売上高÷売上高×100
＝30,500÷36,000×100≒84.7（%）

となる。

損益分岐点比率が高いか低いかにより、企業の収益獲得能力面での安全度が判断できる。損益分岐点は低ければ低いほど、企業はより少ない売上高で利益を得ることができる。つまり、損益分岐点比率が低いということは、その企業が売上高の減少というリスクに強いということである。

　したがって、損益分岐点比率は前期から当期にかけて低下しているため、損益分岐点比率は改善されている。また、改善された原因として、固定費が減少していることがあげられる（変動費率は上昇しているため、選択肢アは誤りである）。

正解 ▶ イ

Memo

問題 15 感度分析

1 ／ 2 ／ 3 ／

当社の次年度の直接原価計算による予想損益計算書は次のとおりである。このデータに基づいて、次年度における①販売価格を10%値上げしたときの営業利益と、②販売量が10%増加したときの営業利益に関する記述として、最も適切なものを下記の解答群から選べ（単位：千円）。

予想損益計算書

売　上　高	10,000
変　動　費	4,000
限界利益	6,000
固　定　費	5,000
営業利益	1,000

〔解答群〕

ア　①の営業利益と②の営業利益は同じになる。

イ　①の営業利益のほうが、②の営業利益に比べ、400千円低い。

ウ　①の営業利益のほうが、②の営業利益に比べ、400千円高い。

エ　①の営業利益のほうが、②の営業利益に比べ、500千円高い。

解説

スピテキLink▶　4章1節1～4項、2節1項

POINT 感度分析に関する問題である。感度分析とは、当初の予測データが変化したら結果はどうなるかを分析することである。つまり、製品の販売価格、販売量、変動費、固定費などの変化が営業利益に対してどのような影響を与えるかを分析することをいう。販売価格を値上げした場合は、変動費には影響を及ぼさない点に注意する。それぞれの場合の営業利益を求めればよい。

① 販売価格を10%値上げしたときの営業利益

営業利益＝10,000×1.1－4,000－5,000＝2,000（千円）

② 販売量が10%増加したときの営業利益

営業利益＝（10,000－4,000）×1.1－5,000＝1,600（千円）

したがって、①販売価格を10%値上げしたときの営業利益のほうが、②販売量が10%増加したときの営業利益に比べ、400千円高い。

正解 ▶ ウ

問題16 営業外損益の取り扱い

1 ／ 2 ／ 3 ／

　次のデータにもとづき、経常利益ベースの損益分岐点比率として最も適切なものを下記の解答群から選べ。ただし、売上高は100,000千円である。

変動費率	60%
固定費（営業費用）	40,000千円
営業外収益	7,000千円
営業外費用	3,000千円

※売上高が変化しても営業外収益、営業外費用は一定である。

〔解答群〕

ア　60%
イ　80%
ウ　90%
エ　100%

解説

スピテキLink▶ 4章1節6項

POINT CVP分析の計算における、営業外損益の取り扱いに関する問題である。CVP分析は、通常、営業利益で行うのが一般的である。しかし、経常利益を目標利益にする場合など、営業外損益をCVP分析に含める必要がある場合には、固定費の修正項目として扱う。つまり、営業外収益は固定費から除外し、営業外費用は固定費に加算する修正が必要となる。

経常利益ベースの損益分岐点比率
＝経常利益ベースの損益分岐点売上高÷売上高

・固定費の修正

固定費は次のとおりである。

固定費40,000＋営業外費用3,000－営業外収益7,000＝36,000

・経常利益ベースの損益分岐点売上高および損益分岐点比率の計算

S－0.6S－36,000＝ 0

0.4S＝36,000

S＝90,000千円

∴損益分岐点比率＝損益分岐点売上高90,000÷売上高100,000×100
＝90（%）

正解 ▶ ウ

問題17 利益差異分析

1 ／ 2 ／ 3 ／

売上高の予算・実績差異を価格差異と数量差異とに分解するとき、価格差異と数量差異の計算式として、最も適切なものの組み合わせを下記の解答群から選べ。ただし、正の値が有利差異を表すものとする。

a 価格差異＝（実際価格－予算価格）×予算販売量
b 価格差異＝（実際価格－予算価格）×実際販売量
c 数量差異＝（実際販売量－予算販売量）×実際価格
d 数量差異＝（実際販売量－予算販売量）×予算価格

〔解答群〕

ア aとc　**イ** aとd　**ウ** bとc　**エ** bとd

解説

スピテキLink ▶ 4章2節1項

POINT 売上高差異分析に関する問題である。売上高差異は、数量差異と価格差異に分けて捉える。売上高差異は、実際値から予算値（計画値）を差し引くため、プラスの場合には有利差異、マイナスの場合には不利差異となる。

差異分析を行う場合、次のようなボックス図を書くことで計算式を導き出すことができる。

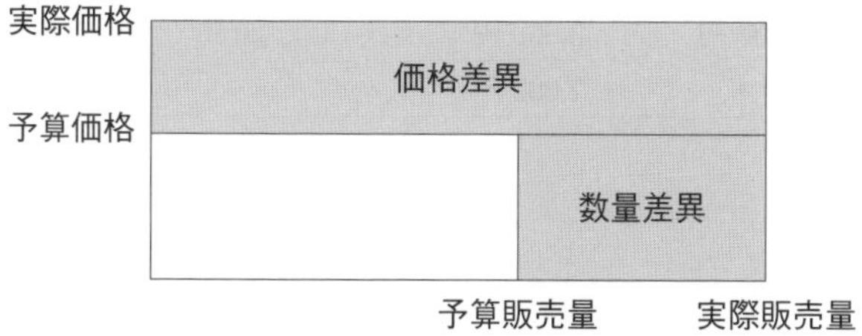

以上より、それぞれの計算式は次のようになる。

価格差異＝（実際価格－予算価格）×実際販売量（選択肢b）

数量差異＝（実際販売量－予算販売量）×予算価格（選択肢d）

よって、選択肢bとdの組み合わせが正しい。

正解 ▶ エ

4章

問題 18 利益差異分析

1 ／ 2 ／ 3 ／

次の資料に基づき、当社の売上総利益の増減要因について、数量差異として最も適切なものを下記の解答群から選べ（単位：円）。なお、不利差異の場合には、負の値で表示するものとする。

	前年度			今年度		
	数　量	単　価	金　額	数　量	単　価	金　額
売　上　高	100 個	50 円	5,000 円	110 個	48 円	5,280 円
売 上 原 価		30 円	3,000 円		30 円	3,300 円
売上総利益			2,000 円			1,980 円

〔解答群〕

ア　−220

イ　−200

ウ　200

エ　220

解説

スピテキLink▶　4章2節1項

POINT 利益差異分析に関する問題である。利益差異分析の問題は、ボックス図を用いて解くのがよい。売上総利益の増減が問われているため、縦ラインの価格には、売上高－売上原価で計算した利益を設定する。

前年度利益＝売上高@50円－売上原価@30円＝@20円
今年度利益＝売上高@48円－売上原価@30円＝@18円
ボックス図は、次のようになる。

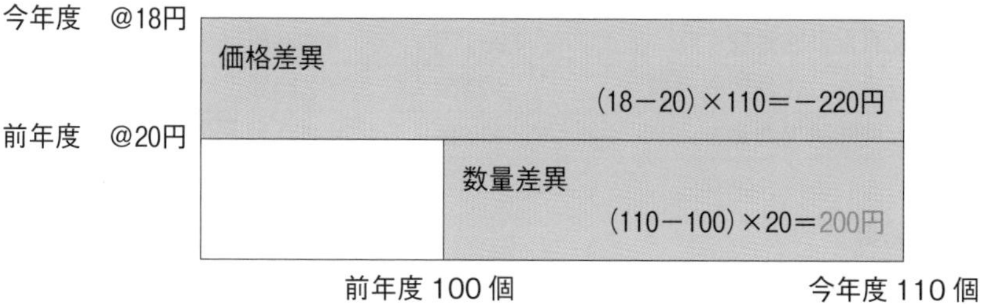

正解 ▶ ウ

問題19 セールスミックス

1 ／ 2 ／ 3 ／

次の製品別の販売価格および原価等のデータに基づき、限界利益を最大にする各製品の実現可能な販売数量として、最も適切なものの組み合わせを下記の解答群から選べ（単位：個）。ただし、最大可能な設備稼働時間は1,300時間であるものとする。

	製品A	製品B	製品C
販売価格	10,000円	12,000円	15,000円
単位当たり変動費	4,000円	4,800円	6,000円
単位当たり設備稼働時間	1時間	2時間	3時間
最大可能販売数量	400個	300個	200個

〔解答群〕

ア 製品A：100　製品B：300　製品C：200

イ 製品A：400　製品B：150　製品C：200

ウ 製品A：400　製品B：300　製品C：100

エ 製品A：400　製品B：300　製品C：200

解説

スピテキLink ▶ 4章3節3項

POINT セールスミックスに関する問題である。制約条件（本問では設備稼働時間）が与えられた場合、制約条件当たりの限界利益を計算したうえで、評価することになる。

与えられた表から限界利益を計算し、分かりやすいよう単位を付け直す。

	製品A	製品B	製品C
限界利益	6,000円	7,200円	9,000円
単位当たり設備稼働時間	1時間/個	2時間/個	3時間/個
単位当たり限界利益	6,000円/時間	3,600円/時間	3,000円/時間
最大可能販売数量	400個	300個	200個

設備稼働時間が1,300時間内という条件の下、単位当たり限界利益の大きいものから、販売することになる。よって、製品A→製品B→製品Cの順になる。

	製品A	製品B	製品C
① 単位当たり設備稼働時間	1時間/個	2時間/個	3時間/個
② 最大可能販売数量	400個	300個	100個
③ 設備稼働時間（①×②）	400時間	600時間	300時間

製品Aおよび製品Bは最大可能販売数量まで生産・販売可能である。ただし、製品Cの場合は、残り時間が300時間（1,300−400−600＝300時間）しかない。よって、製品Cの最大可能販売数量である200個は生産・販売できない。したがって、300時間÷3時間/個＝100個であれば、ちょうど設備稼働時間が合計1,300時間となり、生産・販売できる。

正解 ▶ ウ

問題20 セグメント別損益計算

1 ／ 2 ／ 3 ／

部門別損益計算書に基づいて、各事業部の業績評価を示す利益額として最も適切なものはどれか。

ア 売上高－売上原価
イ 売上高－変動費
ウ 売上高－変動費－管理可能固定費
エ 売上高－変動費－個別固定費

解説

スピテキLink ▶ 4章3節4項

POINT セグメント別損益計算に関する問題である。各事業部の業績評価を示す利益額は、「貢献利益(売上高－変動費－個別固定費)」である。

貢献利益は、セグメントとしての事業部が各事業部に共通的に発生する固定費を回収し、さらに利益を獲得することに貢献する度合いを示す利益額であり、セグメントの業績評価で用いられるものである。直接原価計算方式によるセグメント別損益計算書における限界利益、貢献利益の相違点は整理しておこう。

また、選択肢ウは、「管理可能利益」を表している。管理可能利益は、そのセグメントの責任者（事業部長）が責任を負うべき利益であり、セグメントの責任者の業績評価に用いられるものである。

よって、エが正解である。

【補足】直接原価計算における利益概念

直接原価計算に基づき、限界利益、管理可能利益、貢献利益を確認すると以下のようになる。

売上高
変動費
限界利益
管理可能固定費
管理可能利益
管理不能固定費
貢献利益

管理可能利益	セグメントの責任者の業績評価用の利益
管理可能固定費	セグメントの責任者にとって管理可能な固定費。例)広告費、従業員訓練費など
管理不能固定費	セグメントの責任者にとって管理不能な固定費。例）減価償却費、固定資産税など

正解 ▶ エ

問題21 セグメント別損益計算

1 ／ 2 ／ 3 ／

当社の次年度の部門別損益計算書は次のとおりである。仮にC部門を廃止するとした場合、当社全体の純利益の増減額として、最も適切なものを下記の解答群から選べ（単位：千円）。ただし、費用の構造は一定とし、共通固定費は発生を回避することができないものとする。

（単位：千円）

	A部門	B部門	C部門	合　計
売　上　高	3,000	3,800	4,200	11,000
変　動　費	1,800	2,300	2,600	6,700
個別固定費	800	1,200	1,500	3,500
共通固定費配賦額	100	180	250	530
純　利　益	300	120	△ 150	270

〔解答群〕

ア　減少150

イ　減少100

ウ　増加100

エ　増加150

解説

スピテキLink▶　4章3節4項

POINT 部門別の損益計算書に関する問題である。貢献利益の算出について整理しておこう。

与えられた資料から、各部門の限界利益および貢献利益を確認すると次のようになる（単位：千円）。

	A部門	B部門	C部門	合　計
売　上　高	3,000	3,800	4,200	11,000
変　動　費	1,800	2,300	2,600	6,700
限界利益	1,200	1,500	1,600	4,300
個別固定費	800	1,200	1,500	3,500
貢献利益	400	300	100	800

仮にC部門を廃止すれば、C部門の売上高およびC部門固有の費用（変動費と個別固定費）がゼロとなり、貢献利益100千円が減少することになる。

なお、固定費は、回避可能原価と回避不可能原価に区分されるが、「共通固定費は発生を回避することができない」とただし書きされていることから、個別固定費は発生を回避することができると判断する（部門を廃止すれば個別固定費はゼロとなる）。

正解 ▶ イ

問題22 特別注文受託可否

1 ／ 2 ／ 3 ／

当社では、受注拡大のため、現行の主力製品を新たな取引先へ拡販したいと考えている。翌期の主力製品の予想製造・販売量は800個であり、販売単価は80万円である。製造原価は、製品１個あたりの変動費が48万円、固定費が1,000万円である。また、販売員にかかる費用（製品１個あたりの変動費）のうち、販売員手数料が３万円、物品運送費が２万円である。その他、一般管理費800万円は固定費である。

新規の取引先Ｚ社から単価60万円、180個で注文したいと打診されている。Ｚ社はこの条件でなければこれをキャンセルするという。この注文を引き受けるべきかどうか、差額利益（追加的な利益）で判断したい。製品１個当たりの差額利益の金額として、最も適切なものはどれか（単位：万円)。ただし、この注文を引き受けるだけの十分な生産能力はあるとし、相手側からの注文のため、新規注文に対する販売員手数料は発生しないものとする。

ア 7
イ 9
ウ 10
エ 12

解説

スピテキLink▶　4章4節1項

POINT

特別注文受託可否（業務的意思決定）に関する問題である。特別注文受託可否とは、従来から生産・販売している製品に対して新規の顧客から特別の条件で注文があった場合に、これを引き受けるべきか否かについての判断を行う意思決定である。

新規に特別注文を引き受けることによって追加的に発生する収益と原価、つまり、差額収益と差額原価から差額利益を計算し、特別注文の引受けにより差額利益が生じるならば、その注文は引き受けるべきであると判断する。なお、通常は、変動費が差額原価となり、固定費は無関連原価（注文の引受け如何にかかわらず追加的に発生しない原価）となる。

		製品 1 個あたりの変動費	固定費
製造原価		48 万円／個	1,000 万円
販売員	販売員手数料	3 万円／個	―
	物品運送費	2 万円／個	―
一般管理費		―	800 万円

※ 相手側からの注文のため、新規注文に対する販売員手数料は発生しないものとする。

まず、両案を比較して差額の生じる関連項目のみを拾い出し、差額収益と差額原価を計算することで差額利益を求める。

Ⅰ	差額収益	
	新規注文分売上高	@ 60
	合　計	@ 60
Ⅱ	差額原価	
	変動製造原価	@ 48
	変動販売費	@ 2
	合　計	@ 50
Ⅲ	差額利益	@ 10 万円

新規の取引先Z社への販売単価が60万円であり、製品1個当たりの変動費が［製造原価48万円＋販売費2万円］より50万円であるため、製品1個あたり10万円の差額利益が生じる。

よって、ウが正解である。

正解 ▶ ウ

問題 23　設備投資の経済性計算

1 ／　2 ／　3 ／

次の投資案の各年の営業キャッシュフローとして、最も適切なものを下記の解答群から選べ（単位：百万円）。なお、減価償却方法は定額法で、残存価額をゼロとする。

新設備の購入価額	50 百万円
耐用年数	5 年
毎年の現金収入	40 百万円
毎年の現金支出	20 百万円
税率	40%

〔解答群〕

ア　12

イ　14

ウ　16

エ　18

解説

スピテキLink▶　5章1節3項

POINT 設備投資における営業キャッシュフロー（正味キャッシュフロー、税引後キャッシュフローなどとよばれることもある）に関する問題である。2つの計算式を用いて解説しているが、2つの式を混同せずに使えるようにしたい。

「営業CF＝(CIF－COF)×(1－税率)＋減価償却費×税率」より
営業CF＝(40－20)×(1－0.4)＋10※×0.4
営業CF＝16(百万円)
※減価償却費＝購入価額50百万円÷耐用年数5年＝10百万円

あるいは、
「営業CF＝(CIF－COF－減価償却費)×(1－税率)＋減価償却費」より
営業CF＝(40－20－10)×(1－0.4)＋10
営業CF＝16(百万円)

正解 ▶ ウ

問題 24　設備投資の経済性計算

1 ／ 2 ／ 3 ／

現行の設備に代えて、燃料費（現金支出）を毎年節約できる新設備の導入が提案されている。

この設備の取り替えにより、減価償却費が毎年200万円から250万円に増加する。一方で、燃料費は毎年150万円から90万円に減少する。この場合、新規設備に取り替えることによる毎年の経済的効果（差額キャッシュフロー）の金額として最も適切なものはどれか。ただし、税率は30%とする。

ア　22万円
イ　42万円
ウ　53万円
エ　57万円

解説

スピテキLink▶　5章1節3項

POINT 取替投資の差額キャッシュフローに関する問題である。新規設備のキャッシュフローと現行の設備のキャッシュフローの差額を認識する。

営業収支の増加＝燃料費の節約額として、以下の計算式により算出する（各要素は新規設備と現行の設備の差額を用いる）。

差額キャッシュフロー＝燃料費の節約額×（1－税率）＋減価償却費の増加に伴う節税効果

＝(150－90)×(1－0.3)＋(250－200)×0.3

＝57（万円）

あるいは、営業利益ベースで計算してもよい。

差額キャッシュフロー＝営業利益の増加分×（1－税率）＋減価償却費の増加分

＝(150－90－50)×(1－0.3)＋50＝57（万円）

正解 ▶ エ

問題 25 設備投資の経済性計算

1 ／ 2 ／ 3 ／

投資の経済性計算に関する以下の各設問に答えよ。

設問 1 キャッシュフロー

設備投資のキャッシュフローを予測する際の説明として、最も不適切なものはどれか。

ア 新製品投資によって、既存の製品のキャッシュフローが減少する場合、減少するキャッシュフローは新製品投資のキャッシュフローに反映させる。

イ 貸し付けている土地の賃貸借契約を解除し、そこに工場建設をする場合、この受取地代を反映させる必要はない。

ウ 投資の資金調達から生じる支払利息はキャッシュフローに反映させない。

エ 未使用の土地に工場建設をする場合、未使用の土地は時価で評価して投資額に反映させる。

設問 2　正味現在価値

次の資料に基づいて、この投資の投資時点における正味現在価値を求める場合、最も適切な計算式はどれか（単位：百万円）。

【資　料】

投資額：120

投資期間： 3 年

キャッシュフロー：毎期 50

資本コスト： 5 %

複利現価係数表

	5%
1 年	0.95
2 年	0.91
3 年	0.86

ア　$NPV = 50 \times (0.95 + 0.91 + 0.86) - 120$

イ　$NPV = 50 \times 0.95 + 50 \times 0.91 + 50 \times 0.86 - 120 \times 0.95$

ウ　$NPV = 50 \times (0.95 + 0.91 + 0.86)$

エ　$NPV = 150 \times 0.95 + 150 \times 0.91 + 150 \times 0.86 - 120$

オ　$NPV = 150 \times (0.95 + 0.91 + 0.86) - 120 \times 0.95$

解説

スピテキLink▶　5章1節3項、2節3項

設問 1

POINT 取替投資に関する問題である。取替投資では、差額キャッシュフローを認識する。差額キャッシュフローとは、投資をした場合のキャッシュフローから投資をしなかった場合のキャッシュフローを差し引くものである。本問は、選択肢ア、イ、エが取替投資に関するものである。

ア　○：正しい。既存製品のキャッシュフローの減少が、新製品投資に起因しているのであれば、将来キャッシュフローの予測に際して考慮する必要がある。

イ　×：貸し付けている土地の賃貸借契約解除は、設備投資を行うことに起因している。そのため、設備投資を行うことによる将来キャッシュフローの予測に際しては受取地代を考慮する必要がある。

ウ　○：正しい。投資の資金調達から生じる支払利息はキャッシュフローに反映させない。支払利息は資金提供者に対する収益分配と考え、その原資が必要十分に確保されるかを評価すると考えれば理解しやすいだろう。

エ　○：正しい。未使用の土地を利用する場合には、時価で評価して投資額に反映させる。売却すれば得られるはずのキャッシュフローを放棄して設備投資を行うのだと考えればよいだろう。

正解　▶ イ

設問 2

POINT NPVの計算に関する出題である。基本的な計算手法を問う問題であり、設問 1 同様、確実に正解したい。

NPVは、将来のキャッシュフローを現在価値に割り引き、投資額を控除することで求めることができる。本問において、将来のキャッシュフローは毎期50であり、投資額は120である。割引率は資本コスト5％とし、図示すると以下になる（単位：百万円）。

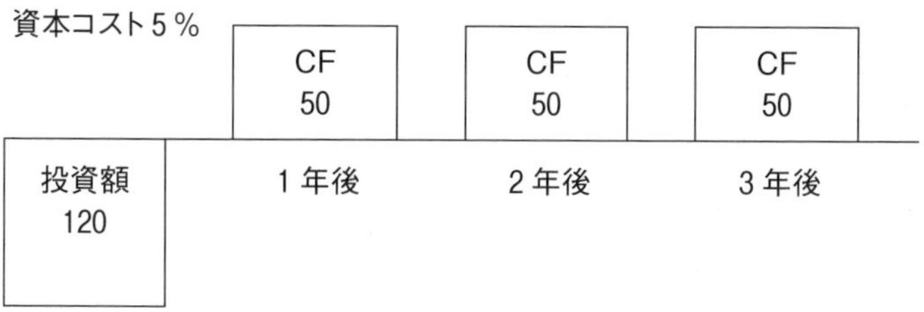

NPV＝50×0.95＋50×0.91＋50×0.86－120
＝50×(0.95＋0.91＋0.86)－120
＝16

となる。0.95＋0.91＋0.86＝2.72が、５％（３年）の年金現価係数である。

正解 ▶ ア

5
章

問題 26　設備投資の経済性計算

1 ／　2 ／　3 ／

D社は現在、ある設備投資案を検討している。その設備投資案の初期投資額は4,500万円であり、この投資により毎期1,000万円のキャッシュフローが生み出されると予定されている。また、この投資案の経済命数は5年である。このデータと、下記の年金現価係数表に基づいて以下の各設問に答えよ。なお、D社の採用している割引率は5％である。

年金現価係数表

割引率	1％	2％	3％	4％	5％	6％
年金現価係数（5年）	4.85	4.71	4.58	4.45	4.33	4.21

設問 1　回収期間法

回収期間法により求めたこの設備投資の回収期間として最も適切なものはどれか。

ア　3年　**イ**　3.5年　**ウ**　4年　**エ**　4.5年　**オ**　5年

設問 2　正味現在価値法

正味現在価値法により求めたこの設備投資の正味現在価値として最も適切なものはどれか。

ア　330万円　**イ**　170万円　**ウ**　0万円
エ　－170万円　**オ**　－330万円

設問 3　割引率と正味現在価値との関係

この設備投資案における割引率と正味現在価値の関係を表したグラフとして最も適切なものはどれか。

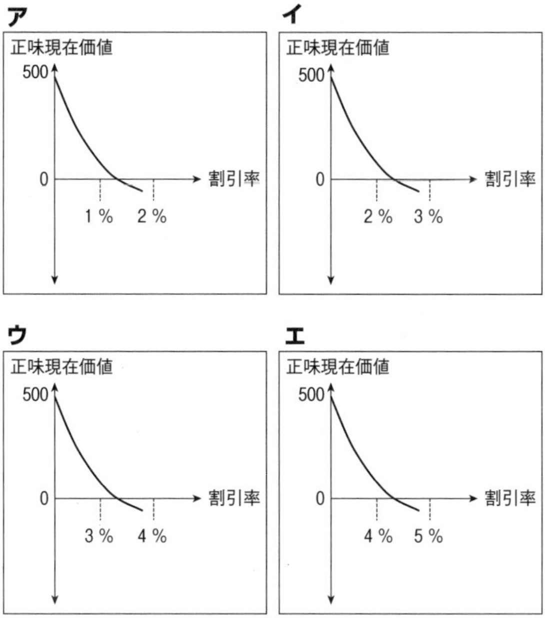

5章

解説

スピテキLink▶ 5章2節1・2項

設問 1

POINT 回収期間は「設備投資額÷毎期均等額CF」で簡便に求めることができる。その一方で、回収期間法で用いるキャッシュフローは時間的価値を考慮しておらず、また基準となる回収期間の決定方法もあいまいであるといった問題点がある。

エ ○：$回収期間 = \dfrac{設備投資額}{毎期均等額CF} = \dfrac{4{,}500万円}{1{,}000万円} = 4.5(年)$

正解 ▶ エ

設問 2

POINT 年金現価係数は、将来の一定期間にわたる毎期均等額のキャッシュフローを現在価値に割り引くために使用する係数であるので、毎期均等額のキャッシュフローが発生しない場合は使うことができないので注意していただきたい。D社の採用している割引率は5％であるため、年金現価係数は4.33の値を用いて計算する。

エ ○：正味現在価値＝1,000万円（毎期均等額CF）
×4.33（年金現価係数）－4,500万円（初期投資額）
＝－170万円

正解 ▶ エ

設問 3

POINT 内部収益法を用いて、正味現在価値が「0」となる割引率を推定する。正味現在価値が「0」となる年金現価係数をxとすると、

0 ＝毎期均等額CF× x －初期投資額

0 ＝1,000万円× x －4,500万円　⇒　x ＝4.5

年金現価係数と割引率は負の相関関係にあるため、

正味現在価値＝毎期均等額CF×年金現価係数－初期投資額

の式から、割引率が小さくなれば、年金現価係数も大きくなり、正味現在価値も大きくなることがわかる。したがって、正味現在価値と割引率も負の相関関係にあり、そのグラフは右下がりとなる。

ウ　○：年金現価係数が「4.5」に相当する割引率を年金現価係数表から推測すると、割引率３％の年金現価係数が「4.58」、４％の年金現価係数が「4.45」であるから、およそ３％～４％の間の数値であることがわかる。また、正味現在価値が「０」となる場合の割引率が内部収益率であり、これはグラフの曲線と横軸の交点で表される。したがって、この交点が３％と４％に位置するグラフが正解となる。

正解 ▶ ウ

問題 27 設備投資の経済性計算

1 ／ 2 ／ 3 ／

C社は、現在新規設備投資案を検討している。この設備投資案に関するデータは次のとおりである。これに基づき、以下の各設問に答えよ。

【データ】

・初期投資額　1,000億円

・経済命数　　4 年

・資本コスト10%の場合の複利現価係数

1 年目：0.91、2 年目：0.83、3 年目：0.75、4 年目：0.68

・各年度末のキャッシュフロー

1 年目：500億円、2 年目：400億円、3 年目：300億円、4 年目：100億円

設問 1 正味現在価値法

C社のこの設備投資案の正味現在価値（以下、NPV）として、最も適切なものはどれか。なお、計算にあたっては、データにある複利現価係数を使用すること。

ア 65億円　**イ** 80億円　**ウ** 85億円　**エ** 95億円　**オ** 105億円

設問 2 回収期間法

C社のこの設備投資案の回収期間法による回収期間として、最も適切なものはどれか。

ア 1.9年　**イ** 2.1年　**ウ** 2.3年　**エ** 3.2年　**オ** 3.4年

設問 3　正味現在価値法、内部収益率法、収益性指数法

正味現在価値法、内部収益率法、収益性指数法に関する次の記述として、最も適切なものの組み合わせを下記の解答群から選べ。ただし、初期投資だけが負のキャッシュフロー（支出）、それ以後は毎期正のキャッシュフロー（収入）をもたらすような投資案を前提とする。

a　要求収益率で割り引いた正味現在価値が正ならば、内部収益率はその要求利益率を上回る。

b　要求収益率で割り引いた正味現在価値が正ならば、内部収益率はその要求利益率を下回る。

c　要求収益率で割り引いた正味現在価値が正ならば、収益性指数は 1 を上回る。

d　要求収益率で割り引いた正味現在価値が正ならば、収益性指数は 1 を下回る。

〔解答群〕

ア　a と c　　**イ**　a と d　　**ウ**　b と c　　**エ**　b と d

解説

スピテキLink▶ 5章2節1・2項

設問 1

POINT

正味現在価値を求める計算式は、次のとおりである。

$$NPV = C_1 \times \frac{1}{1+r} + C_2 \times \frac{1}{(1+r)^2} + \cdots + C_n \times \frac{1}{(1+r)^n} - 初期投資額$$

ただし、Cn：n年目のキャッシュフロー　　r：割引率

本問では、資本コスト10%における複利現価係数が与えられているので、この複利現価係数を用いて計算するとNPVは次のようになる。

NPV＝500億円×0.91＋400億円×0.83＋300億円×0.75
　　＋100億円×0.68－1,000億円
　＝80億円

正解 ▶ イ

設問 2

POINT

回収期間法による回収期間を求める設問である。回収期間の算定の際、与えられたキャッシュフローが毎期均等額かどうかにより算定方法が異なる。

本問では、各年度に発生するキャッシュフローが均等ではないため、各年度のキャッシュフローを設備投資額に対して充当しながら回収期間を計算する。

投資後1年目の回収残＝初期投資額1,000億円－1年目CF 500億円
　　　　　　　　　＝500億円
投資後2年目の回収残＝500億円－400億円＝100億円

したがって、回収期間＝2年＋$\frac{100億円}{300億円}$＝2.33…≒2.3年

正解 ▶ ウ

設問 3

POINT 投資の経済性計算ならびに意思決定の評価に関する問題である。正味現在価値（NPV）と内部収益率（IRR）、収益性指数（PI）の関連性が問われている。正味現在価値がプラス（マイナス）であれば、内部収益率は資本コスト（要求収益率）より大きく（小さく）、収益性指数は1より大きい（小さい）という関連性がある。

a ○：正しい。NPV＞0の場合、IRR＞資本コスト（要求収益率）となる。

b ×：選択肢aのとおり、誤りである。なお、NPV＜0の場合、IRR＜資本コスト（要求収益率）となる。

c ○：正しい。NPV＞0の場合、PI＞1となる。収益性指数法による評価の場合、PI＝年々の正味キャッシュフローの現在価値÷投資額より、PIが1より大きければ、正味現在価値＞0となり採用に値することになる。

d ×：選択肢cのとおり、誤りである。NPV＜0の場合、PI＜1となる。

正解 ▶ ア

問題28 設備投資の経済性計算

1 ／ 2 ／ 3 ／

2つの相互排他的投資案X、Yについて、その採否を検討する。下図は、これらの投資案について正味現在価値（NPV）と割引率の関係を示したものである。資金制約がないと仮定するとき、投資案X、Yの採否について、文中の空欄AからCに入る語句の組み合わせとして、最も適切なものを下記の解答群から選べ。

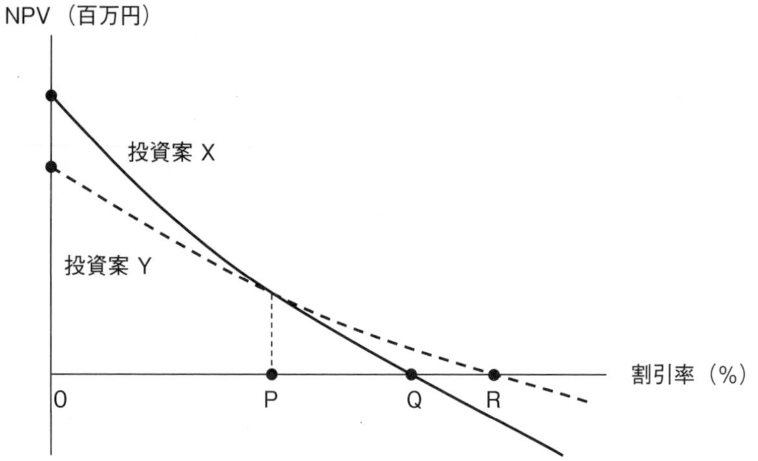

資本コストが［ A ］より大きく［ B ］はより小さい場合は、両投資案の正味現在価値はともにプラスである。結果として、［ C ］。

〔解答群〕

ア A：P点　B：Q点　C：投資案Xが採用される

イ A：P点　B：Q点　C：投資案Yが採用される

ウ A：P点　B：Q点　C：両投資案が採用される

エ A：Q点　B：R点　C：投資案Xが採用される

オ A：Q点　B：R点　C：投資案Yが採用される

解説

スピテキLink▶　5章2節1・2項

POINT 設備投資の経済性計算に関する問題である。正味現在価値と割引率（資本コスト）の関係が問われている。資本コストの状況によって投資案X、Yの評価が異なる点がポイントである。問題の前提が相互排他的投資であるため、どちらかを採用すれば、他方は棄却されることになる。

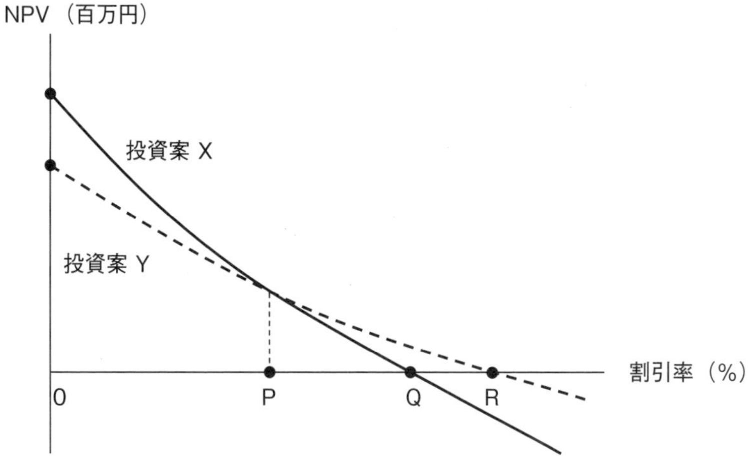

・資本コストがP点より小さい場合は、両投資案の正味現在価値がプラスであるが、相互排他的投資であるため、投資案Xが採用される。

・資本コストが A：P点 より大きく B：Q点 より小さい場合は、両投資案の正味現在価値はともにプラスである。結果として、（相互排他的投資という前提があることから） C：投資案Yが採用される 。

・資本コストがQ点より大きくR点より小さい場合は、投資案Yの正味現在価値がプラスであり、投資案Xの正味現在価値はマイナスであるため、投資案Yのみが採用される。

・資本コストがR点より大きい場合は、両投資案の正味現在価値がマイナスであるため、両投資案とも棄却される。

よって、「A：P点、B：Q点、C：投資案Yが採用される」の組み合わせが正しく、イが正解である。

正解 ▶ イ

問題 29　設備投資の経済性計算

1 ／　2 ／　3 ／

当社は、２つの投資案を検討中である。投資は第１年度期首に行われ、投資額および各年度に得られるCFは以下のとおりである。投資案①と投資案②の正味現在価値の金額の組み合わせとして、最も適切なものを下記の解答群から選べ（単位：百万円）。なお、割引率は10%であり、計算にあたっては以下の現価係数を用いること。

（単位：百万円）

	投資額	第１年度	第２年度	第３年度
投資案①	－300	200	100	100
投資案②	－400	100	200	200

年金現価係数（10%、３年）	複利現価係数（10%、１年）
2.49	0.91

〔解答群〕

ア　投資案①：30　　投資案②：７

イ　投資案①：30　　投資案②：10

ウ　投資案①：40　　投資案②：７

エ　投資案①：40　　投資案②：10

解説

スピテキLink▶　5章1節2項、2節1項

POINT

設備投資の経済性計算に関する問題である。各投資案の正味現在価値が問われている。複利現価係数と年金現価係数の取り扱いを適切にできたかがポイントである。

●投資案①のNPV

第1年度から第3年度まで得られるCFは同額ではないが、第1年度から第3年度までのCF（100）については、3年の年金現価係数を利用して、現在価値に割り引くことができる。さらに、第1年度のCF（200）のうち、残り100を、1年目の複利現価係数を利用して、現在価値に割り引くことになる。

よって、

正味現在価値（NPV）＝100×2.49＋100×0.91－300

＝40（百万円）

となる。

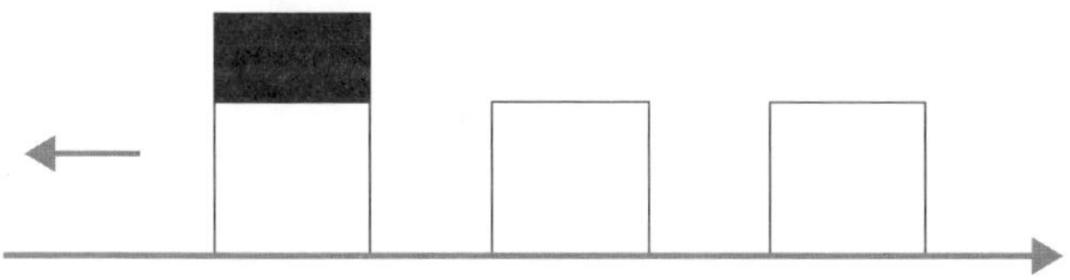

※黒塗りの部分が差額（200－100）に該当する。

あるいは、3年の年金現価係数2.49－1年の複利現価係数0.91＝1.58は、2年度と3年度を現在価値に割り引く年金現価係数となることから、これを利用してもよい。

正味現在価値（NPV）＝200×0.91＋100×1.58－300

＝40（百万円）

●投資案②のNPV

こちらも第1年度から第3年度まで得られるCFは同額ではないが、第1年度から第3年度までのCFを200として3年の年金現価係数を利用して現在価値に割り引く。さらに、第1年度のCFにおいては200から100を、3年目の複利現価係数を利用して控除することで計算することができる。

よって、

正味現在価値（NPV）＝200×2.49－100×0.91－400

＝7（百万円）

となる。

また、1年の複利現価係数と上記で求めた2年度と3年度を現在価値に割り引く年金現価係数（1.58）を用いて計算することもできる。

正味現在価値（NPV）＝100×0.91＋200×1.58－400＝7（百万円）

正解 ▶ ウ

Memo

5章

問題30 売却損に伴う節税効果

1 ／ 2 ／ 3 ／

Ｂ社は既存の設備を売却し、燃料効率の良い新設備の導入を検討している。投資時点に発生する差額キャッシュフローとして最も適切なものはどれか。なお、投資は期末に行われ、既存設備売却に関連する税効果は即座にキャッシュフローに反映されるものとする（単位：百万円）。

【既存設備に関する資料】
投資時点の簿価：700
投資時点の売却見込額：600

【新設備に関する資料】
取得価額：1,000

【その他】
実効税率：40%

ア －440　**イ** －400　**ウ** －360　**エ** －320

解説

スピテキLink▶　5章2節3項

POINT 取替投資に関する出題である。本問の復習を通して、売却損にかかるタックスシールドに関する内容をマスターしておこう。タックスとは税金のことであり、タックスシールドは簡単にいえば節税効果のことである。減価償却費や設備の売却損はキャッシュアウトがないため、直接的にはキャッシュフローに影響を与えない。しかし、これらの費用が計上される場合、税引前利益が圧縮され、その分だけ課税額が減少する。この課税額の減少効果をタックスシールドとして考慮する必要がある（単位：百万円）。

まず新設備の取得であるが、取得価額が1,000であり、1,000のキャッシュアウトが発生する。仕訳を確認すると、

（借）	固定資産	1,000	（貸）現金	1,000

となることから、損益計算書には影響しないことがわかるだろう。つまり、投資時点では課税額に影響がないことになる（後に減価償却費が計上されることで、課税額を変動させることになる）。次に既存設備の売却を考える。既存設備の簿価が700、売却見込額が600であるから、仕訳は以下のようになる。

（借）	現金	600	（貸）固定資産	700
	固定資産売却損	100		

600のキャッシュインがあることは容易に確認できる。ここで、固定資産売却損100に着目してみよう。固定資産売却損は仕訳から判断できるようにキャッシュアウトを伴うものではない。しかし、固定資産売却損が損益計算書に計上されることにより、税引前当期純利益が100減少することになる。実効税率が40％であれば、税引前当期純利益100に対して40の税金が発生する。逆に、税引前当期純利益が100減少すれば40の税金が減少することがわかるだろう。

以上から、設備投資時点で発生するキャッシュフローは、

① 新設備投資によるキャッシュアウト1,000

② 既存設備売却によるキャッシュイン600

③ 売却損計上による税金の減少40（キャッシュアウトの節約＝キャッシュインと考える）

※税効果は即座にキャッシュフローに反映されるため、投資時点で考慮する。

合計360のキャッシュアウトとなる。

正解 ▶ ウ

Memo

問題31 不確実性下の意思決定

1 ／ 2 ／ 3 ／

文中の空欄に入る語句として、最も適切なものを下記の解答群から選べ。

キャッシュフローの予測とリスク分析が行われる場合、そのリスクをどのように評価するかが問題となる。[A]は、各年度のキャッシュフローの期待値をリスクの程度に応じて、低く見積もる方法である。また、[B]は、リスクプレミアムだけ割引率を大きくして、投資を評価する方法である。

〔解答群〕

ア A：確実性等価法　B：内部利益率法

イ A：確実性等価法　B：リスク調整割引率法

ウ A：収益性指数法　B：内部利益率法

エ A：リスク調整割引率法　B：確実性等価法

解説

スピテキLink▶　5章3節1項

POINT

不確実性下の投資決定に関する問題である。リスクの評価手法の知識を問われている。選択肢の代表的な手法についておさえておきたい。

要求利益率（資本コスト）をr、年々の期待キャッシュフローをCFt（t＝1，2，…，n）、投資額をIとし、正味現在価値法を数式で表すと①式になる。

【正味現在価値法】

$$NPV=\frac{CF_1}{(1+r)^1}+\frac{CF_2}{(1+r)^2}+\cdots\frac{CF_n}{(1+r)^n}-I \cdots\cdots ①$$

これに対し、確実性等価法とは、本来的には不確実性のある期待キャッシュフローをその不確実性の度合いによって、確実性の高いキャッシュフローに変換し正味現在価値を求める手法である。すなわち、分子のキャッシュフローでリスクを考慮するため、期待キャッシュフローは低く見積もられる。

なお、確実性等価係数をα_t（t＝1，2，…，n）、不確実な期待キャッシュフローをE(CF)として確実性等価法を数式で表すと②式になる。

【確実性等価法】

$$NPV=\frac{\alpha_1 E(CF_1)}{(1+r)^1}+\frac{\alpha_2 E(CF_2)}{(1+r)^2}+\cdots\frac{\alpha_n E(CF_n)}{(1+r)^n}-I \cdots\cdots ②$$

確実性等価係数α_tは、不確実な期待キャッシュフローを確実性の高いキャッシュフローに変換する機能をもち、0から1の間の値をとる。α_tはリスクが高いほど小さな値をとり、リスクが低いときは大きな値をとる。

次に、リスク調整割引率法とは、期待キャッシュフローの不確実性を割引率で考慮して正味現在価値を求める手法である。つまり、分母の割引率に不確実性に応じたリスクプレミアムを加算して割引率を大きくする。

なお、リスクプレミアムをγとしてリスク調整割引率法を数式で表すと③式になる。

【リスク調整割引率法】

$$NPV=\frac{E(CF_1)}{(1+r+\gamma)^1}+\frac{E(CF_2)}{(1+r+\gamma)^2}+\cdots\frac{E(CF_n)}{(1+r+\gamma)^n}-I \cdots\cdots ③$$

当然のことであるが、リスクプレミアムγは不確実性が高ければ高いほど、大きな値をとる。

したがって、空欄Aは「確実性等価法」、空欄Bは「リスク調整割引率法」が該当する。

正解 ▶ イ

Memo

問題32 株式の理論価格

1 ／ 2 ／ 3 ／

株式の理論価格に関する以下の各設問に答えよ。

設問1 株式の現在価値

A商事株式会社の株式を保有することにより、今期末受け取る配当金の期待値は１株当たり20円である。また、このA商事株式会社の今期末の株価は610円と予想されており、この株式を保有している投資家が要求する利益率は５％である。この株式の今期の期首時点での現在価値として最も適切なものはどれか。

ア 400円　**イ** 600円　**ウ** 610円　**エ** 630円

設問2 配当割引モデル（ゼロ成長モデル）

B興産株式会社の配当金は１株当たり15円であり、この額は将来的にも変化がなく一定であると考えられている。この株式を保有している投資家が要求する利益率が４％であるとすれば、この株式の今期の期首時点での理論価格として最も適切なものはどれか。

ア 325円　**イ** 350円　**ウ** 375円　**エ** 400円

設問3 配当割引モデル（定率成長モデル）

C物産株式会社の今期末の配当金は１株当たり30円とされている。また、この配当は来期以降前年対比１％ずつ成長すると予想されており、この株式を保有している投資家の要求利益率は３％である。この株式の今期の期首時点での理論価格として最も適切なものはどれか。

ア 750円　**イ** 1,000円　**ウ** 1,500円　**エ** 3,000円

解説

スピテキLink▶ 6章2節1項

設問 1

POINT

A商事株式会社の株式を1株保有することで得ることのできるキャッシュフローは、配当金20円と今期末の売却可能価額である610円の合計630円となる。求めるのは、今期の期首時点でのこの株式1株の現在価値であるから、与えられた投資家の要求利益率5%を割引率として現在価値を計算すればよい。

イ ○：株式の現在価値＝$\frac{20円+610円}{1+0.05}$＝600円

正解 ▶ イ

設問 2

POINT

配当割引モデルについての設問である。配当割引モデル（ゼロ成長モデル）とは、「株式の理論価格は現在の1株保有により将来獲得できるキャッシュフロー（配当金）を投資家の要求利益率で割り引いた現在価値である」というものである。これを式で表すと次のようになる。

$$V=\frac{D}{r}$$

（V：株式価値、D：配当金（一定）、r：要求利益率）

この式に、与えられた資料の数値をあてはめて計算すればよい。

ウ ○：株式の理論価格＝$\frac{15円}{0.04}$＝375円

正解 ▶ ウ

設問 3

POINT 一定成長配当割引モデルについての設問である。設問 2 の配当割引モデルは、将来の配当金が常に一定額で変化しないという前提であるが、配当金が毎年一定割合で成長すると仮定して、株式価値を算定するのが一定成長配当割引モデル（定率成長モデル）である。式に表すと次のようになる。

$$V=\frac{D_1}{r-g}$$

（V：株式価値、D_1：今期末の配当金、
r：要求利益率、g：配当金の成長率）

この式に与えられた数値を入れて計算する。

ウ ○：株式の理論価格$=\frac{30円}{0.03-0.01}=$1,500円

正解 ▶ ウ

Memo

6章

問題33 株式の理論価格

1 ／ 2 ／ 3 ／

当社の普通株式の現在の配当は、１株当たり80円と予想されている。配当の成長率が今後５％で永久に継続すると期待されている。当社の現在の株価が1,000円であるとき、当社の普通株式の資本コストとして、最も適切なものはどれか（単位：%）。

ア 10
イ 12
ウ 13
エ 13.4

解説

スピテキLink▶ 6章2節1項

POINT 配当割引モデルに関する問題である。本問は、与えられた配当が「現在（現時点)」の金額である点に注意する。

現在の株価1,000＝１年後の配当80×1.05÷(資本コスト－成長率５％)

よって、

資本コスト＝84÷1,000＋成長率５％（0.05)

＝0.084＋0.05＝0.134（13.4%)

となる。

【補足】

当社の普通株式の次期の配当は、1株当たり80円と予想されている。配当の成長率が今後5%で永久に継続すると期待されている。当社の現在の株価が1,000円であるとき、当社の普通株式の資本コストを計算せよ（単位：%)。

この場合、次期の配当が与えられているため、そのまま計算式に代入すればよい。

現在の株価 1,000 ＝ 1 年後の配当 80 ÷(資本コスト－成長率 5%)

よって、

資本コスト＝ 80 ÷ 1,000 ＋成長率 5%(0.05)

＝ 0.08 ＋ 0.05 ＝ 0.13(13%)

となる。

正解 ▶ エ

6章

問題 34 株価指標

1 ／ 2 ／ 3 ／

株価指標に関して、最も適切なものを下記の解答群から選べ。

当期純利益	160 百万円
自己資本	2,500 百万円
1 株当たり配当金	32 円
発行済株式数	2 百万株
現在の株価	1,000 円

〔解答群〕

ア 配当利回りは 8 %である。

イ 配当性向は30%である。

ウ PERは12.5倍である。

エ PBRは0.6倍である。

解説

スピテキLink▶　6章2節1項

POINT 株価指標に関する問題である。配当利回り、配当性向、PER、PBRなどの株価指標の計算式について確実に覚えておこう。さらに、PERとPBRは計算できるだけでなく、その数値の大小により、評価がどうなるのかまで押さえておこう。

ア　×：配当利回り＝１株当たり配当金÷株価×100
＝32÷1,000×100＝3.2（％）

イ　×：配当性向＝配当金総額÷当期純利益×100
＝（32円×２百万株）÷160百万円×100＝40（％）

ウ　○：正しい。株価収益率（PER）＝株価÷１株当たり当期純利益
より、株価はデータで与えられているが、１株当たり当期純利益は計算する必要がある。

・１株当たり当期純利益
１株当たり当期純利益＝当期純利益÷発行済株式数
＝160百万円÷２百万株＝80円

・株価収益率
株価収益率＝株価1,000円÷１株当たり当期純利益80円
＝12.5（倍）

エ　×：株価純資産倍率（PBR）＝株価÷１株当たり純資産
より、株価はデータで与えられているが、１株当たり純資産は計算する必要がある。

・１株当たり純資産
１株当たり純資産＝自己資本÷発行済株式数
＝2,500百万円÷２百万株＝1,250円

・株価純資産倍率
株価純資産倍率＝株価÷１株当たり純資産
＝1,000円÷1,250円＝0.8（倍）

正解　▶ウ

問題35 株式指標

1 ／ 2 ／ 3 ／

Ｉ社における以下の財務資料をもとに次の各設問に答えよ。なお、資料以外の事項については考慮外とする（単位：万円）。

【資　料】

貸借対照表（簡略）

諸資産	1,000,000	諸負債	750,000
		純資産	250,000

損益計算書（簡略）

諸収益	500,000
諸費用	450,000
当期純利益	50,000

各指標

・株価収益率（PER）：12.5倍
・株価：50万円

設問1 発行済株式総数の算定

Ｉ社の発行済株式総数として最も適切なものはどれか。

ア 10,000株　**イ** 12,500株　**ウ** 15,000株
エ 17,500株　**オ** 20,000株

設問2 PBR

Ｉ社の同業他社の平均のPBRが2.0倍であるとき、Ｉ社の株価について述べた次の文章のうち最も適切なものはどれか。

ア Ｉ社のPBRは1.5倍となり、同業他社の株価に比べて割安となる。
イ Ｉ社のPBRは1.5倍となり、同業他社の株価に比べて割高となる。
ウ Ｉ社のPBRは2.5倍となり、同業他社の株価に比べて割安となる。
エ Ｉ社のPBRは2.5倍となり、同業他社の株価に比べて割高となる。
オ Ｉ社のPBRは5.0倍となり、同業他社の株価に比べて割安となる。

解説

スピテキLink▶　6章2節1項

設問 1

POINT I社の発行済株式総数は、株価収益率（PER）から1株当たり当期純利益を算定し、それを損益計算書の当期純利益で除して求めていくことになる。

$$株価収益率(PER)=\frac{株価}{1株当たり当期純利益}$$

$$1株当たり当期純利益=\frac{50万円}{12.5}=4万円$$

イ　○：50,000万円÷4万円＝12,500株

正解 ▶ イ

設問 2

POINT 株価純資産倍率（PBR）は、株価を1株当たり純資産額で除したものであり、この値が低いほど株価は割安であるといえる。I社のPBRを求めると、

$$株価純資産倍率(PBR)=\frac{株価}{1株当たり純資産額}=\frac{50万円}{250,000万円÷12,500株}$$

$$=2.5倍$$

となる。

エ　○：同業他社の平均のPBRは2.0倍であり、これよりもI社のPBRは大きいので、I社の株価は同業他社より割高な水準にあるといえる。

正解 ▶ エ

問題36 株式指標

1 ／ 2 ／ 3 ／

次の資料に基づき、以下の各設問に答えよ。

純資産（簿価）	売上高	株式時価総額	当期純利益	配当利回り
200百万円	3,000百万円	240百万円	12百万円	2%

設問1 配当性向

配当性向として最も適切なものはどれか。

ア 0.4%　**イ** 5％　**ウ** 23%　**エ** 40%

設問2 PBR

PBRとして最も適切なものはどれか。

ア 1.2倍　**イ** 5倍　**ウ** 15倍　**エ** 20倍

解説

スピテキLink▶　6章2節1項

設問 1

POINT

配当利回り＝１株当たり配当金÷株価×100(％)
　　　　　＝配当金総額÷株式時価総額×100 (％)

であるから、

配当金総額＝配当利回り×株式時価総額÷100

であり、配当金総額は4.8百万円である。

配当性向＝配当金総額÷当期純利益×100(％)

であるから、配当性向は40％（4.8百万円÷12百万円×100(％)）である。

正解　▶ エ

設問 2

POINT

PBR＝株価÷１株当たり純資産額
　　＝株式時価総額÷純資産額

であり、PBRは1.2倍（240百万円÷200百万円）である。

正解　▶ ア

問題37 債券の価格

1 ／ 2 ／ 3 ／

当社は、額面100円、1年後より利息を受取ることができる残存期間3年の社債の購入を検討している。この社債のクーポンレートは4％で、目標資本コストを6％とした場合、この社債の理論価格の計算式として、最も適切なものを下記の解答群から選べ（単位：円)。

年金現価係数

期間	4%	5%	6%	7%
1年	0.96	0.95	0.94	0.93
2年	1.89	1.86	1.83	1.81
3年	2.78	2.72	2.67	2.62

〔解答群〕

ア　4×2.67＋100×（2.67－1.83)

イ　4×2.78＋100×（2.78－1.89)

ウ　4×2.67＋100×0.94

エ　4×2.78＋100×0.96

解説

スピテキLink▶　6章2節2項

POINT 社債の発行価格（理論価格）に関する問題である。年金現価係数から複利現価係数を求める必要がある。また、本問における「クーポンレート」と「資本コスト」の混同に注意する。

社債の額面は100円であり、満期には額面金額で償還される。また、1年後から額面100円に対し、クーポンレート4％の利息を受取る。クーポンレートとは、債券額面に対する利子の割合のことである。社債を購入する視点から、社債を購入した場合の将来のキャッシュインを示すと以下のようになる。

	第1期	第2期	第3期
クーポン利息	4円	4円	4円
償還金額	－	－	100円

社債の現在価値が理論価格となる。将来のキャッシュは上記のとおりであり、これを割引率である目標資本コスト6％で割り引いた額を理論価格（発行価格）とすれば、目標資本コストが実現される。また、複利現価係数が与えられていないため、年金現価係数の差から計算する。

社債の理論価格＝各年の受取利息によるキャッシュイン4円×年金現価係数（6％、3年）＋償還によるキャッシュイン100円×複利現価係数（6％、3年）
＝4×2.67＋100×（2.67－1.83）円

正解 ▶ ア

問題 38 フリーキャッシュフロー

1 ／ 2 ／ 3 ／

次の資料に基づいて、当期のフリーキャッシュフローの金額として、最も適切なものを下記の解答群から選べ。なお、法人税等の実効税率は30%とする。

	前　期	当　期
売上総利益	800	1,000
減価償却費※1	120	150
販　管　費※2	200	250
支払利息	80	100
配当金の支払額	40	50
設備投資額	200	150
運転資金	100	150

※1：販管費に該当するものである（売上原価に計上されている減価償却費はない）。

※2：現金支出を伴う販管費であり、この金額に上記※1の減価償却費は含まれていない。

〔解答群〕

ア　270百万円　　**イ**　310百万円　　**ウ**　370百万円　　**エ**　420百万円

解説

スピテキLink▶ 第6章3節1項

POINT

フリーキャッシュフロー（FCF）に関する問題である。
フリーキャッシュフローとは、企業への資金提供者に対して利払いや配当などに充てることのできる、債権者と株主に帰属するキャッシュフロー（CF）のことである。また、企業が事業活動によって生み出すCFともいえる。そして、この場合のFCFは、税引後営業利益に減価償却費、運転資金、投資額を調整して計算する。

＜当期の営業利益＞

売上総利益から減価償却費および販管費（現金支出）を差し引いて計算する。

営業利益：1,000－150－250＝600

＜FCF＞

「営業利益×（1－税率）＋減価償却費－運転資金増加額－投資額」より計算する。

＝600×（1－30%）＋150－50－150
＝370（百万円）

支払利息や配当金の支払額は資金提供者への分配と考え、FCFの計算に含めない点に注意する必要がある。

正解 ▶ ウ

6章

問題 39　加重平均資本コストの計算

1 ／　2 ／　3 ／

当社の負債の帳簿価額は1,000百万円（時価と同額）、自己資本の帳簿価額は800百万円（時価1,000百万円）である。税引前負債資本コストは５％、自己資本コストは12%であるときの加重平均資本コストとして、最も適切なものはどれか。ただし、税率は20%とする。

ア　6％
イ　8％
ウ　9％
エ　10％

解説

スピテキLink▶　6章3節1項

POINT 加重平均資本コスト（WACC）に関する問題である。WACCの計算では、資本構造（負債と自己資本）を明らかにする必要がある。本問では金額を帳簿価額と時価で与えられているため、取り扱いに留意する（WACCの計算では自己資本の価値および他人資本の価値はそれぞれ時価を用いる）。

貸借対照表（一部）

	負　　債　割合 1,000÷（1,000 + 1,000）	負債の税引前コスト5％
	自己資本　割合 1,000÷（1,000 + 1,000）	自己資本コスト12%

WACC＝負債割合1,000/2,000×負債コスト5％×（1－0.2）
　　＋自己資本割合1,000/2,000×自己資本コスト12%
　　＝8（%）

正解 ▶ イ

6章

問題 40 加重平均資本コスト

1 ／ 2 ／ 3 ／

当社では長期投資において、長期借入金40%、留保利益40%、普通株（新株を発行する）20%の構成割合の資金を使用する。それぞれの資本コストは、長期借入金が税引前で５%、留保利益が10%、普通株が12%である。このときの投資資金の加重平均資本コストとして最も適切なものはどれか（単位：%）。ただし、法人税率は30%である。

ア 6.6
イ 7.2
ウ 7.8
エ 8.8

解説

スピテキLink▶　6章3節1項

POINT

加重平均資本コスト（WACC）に関する問題である。負債は節税効果を考慮する必要があるため、長期借入金の税引後コストは、税引前5％×（1－0.3）＝3.5％となる。あとはそれぞれの資本コストを加重平均してWACCを計算すればよい。

なお、企業の留保利益（内部留保）に対しても資本コストはかかる。内部留保は、再投資に向けられるものであり、株主は再投資したものから配当や株価上昇を期待するため、内部留保に関しても資本コストがかかる。

WACC＝3.5％×0.4＋10％×0.4＋12％×0.2＝7.8（％）

正解 ▶ ウ

問題 41　企業価値

1 ／ 2 ／ 3 ／

甲社は、乙社の買収を検討中である。企業評価の方法として、企業のストックに着目した[A]が多く用いられてきたが、キャッシュフロー経営に関心が高まっている昨今の情勢に鑑み、甲社は[B]の一種であるDCF法で乙社の評価を行うことにした。

乙社の将来のフリーキャッシュフローを予測し、それを現在価値に割引計算したところ、その総額は120億円となった。同社の負債価値は40億円である。したがって、乙社の株主価値は[C]億円と計算される。

以下の設問に答えよ。

設問 1　企業評価方法

文中の空欄AおよびBに入るものとして最も適切な組み合わせを下記の解答群から選べ。

〔解答群〕

ア　A：純資産額方式　　B：収益還元方式
イ　A：配当還元方式　　B：収益還元方式
ウ　A：収益還元方式　　B：市場価格比較方式
エ　A：収益還元方式　　B：純資産額方式

設問 2　株主価値

文中の空欄Cに入るものとして最も適切なものはどれか。

ア 40　　**イ** 60　　**ウ** 80　　**エ** 120

こたえ
かくす
シート

KOTAEKAKUSUSHEET

TAC出版
TAC PUBLISHING Group

解説

スピテキLink ▶ 6章3節2項

POINT 企業価値の評価に関する問題である。企業価値の評価方法にはさまざまなものがあるが、そのなかでも特にDCF法について整理しておきたい。

設問 1

企業評価（本問では株主価値）の計算手法が問われている。企業のストック（貸借対照表の値）に着目するのは、純資産額方式（取得原価法、修正簿価法がある）である。また、DCF法は、将来のCFを現時点に割り引く手法である。DCF法は、将来の利益を現時点に割り引く収益還元方式の一種である。

正解 ▶ ア

設問 2

株主価値の計算が問われている。株主価値は、「企業価値＝負債価値＋株主価値」であるため、企業価値120億円＝負債価値40億円＋株主価値より、株主価値＝80億円と求めることができる。

企業価値 120	負債価値 40
	株主価値 80

正解 ▶ ウ

問題42 企業価値

1 ／ 2 ／ 3 ／

当社はE社の買収を検討している。E社に関する財務データは次のとおりである。これに基づき、以下の各設問に答えよ。

〈E社財務データ〉

E社　n年度貸借対照表（簿価）

資産	負債
5,000万円	3,500万円
	自己資本
	1,500万円

E社　n年度貸借対照表（時価）

資産	負債
7,000万円	3,500万円
	自己資本
	3,500万円

E社　n年度損益計算書の一部

売上高	30,000万円
売上原価	12,000万円
販売費（現金支出）	8,000万円
減価償却費	4,000万円
営業利益	6,000万円
⋮	⋮
当期純利益	2,200万円

・実効税率	40%
・負債コスト（税引前）	5%
・自己資本コスト	11%
・運転資金前期比増加額	100万円
・当期設備投資額	300万円

設問 1　フリーキャッシュフロー

当社の財務担当者は、DCF法を用いてＥ社の企業価値を算定しようと考えている。ｎ年度の財務諸表をもとに求めたＥ社のフリーキャッシュフロー（FCF）として、最も適切なものはどれか。なお、FCFは営業利益をベースとして計算すること。

ア　6,800万円　　**イ**　7,200万円　　**ウ**　8,000万円　　**エ**　10,000万円

設問 2　加重平均資本コスト

Ｅ社の加重平均資本コスト（WACC）として、最も適切なものはどれか。

ア　7.0%　　**イ**　7.5%　　**ウ**　8.0%　　**エ**　8.5%

解説

スピテキLink▶　6章3節1項

POINT 企業価値の算定についての問題である。DCF法では、FCFとWACCにより企業価値を計算する。よって、FCFとWACCそれぞれについて計算できるようにしておきたい。

設問 1

フリーキャッシュフロー（FCF）は、投資者（株主、債権者）への分配の原資であり、次の算式で計算される。

FCF＝営業利益×（1－税率）＋減価償却費－運転資金増加額
　　　－設備投資額

上記の式に、問題で与えられたデータを当てはめて計算すると、

FCF＝6,000×（1－0.4）＋4,000－100－300＝7,200（万円）

となる。

正解 ▶ イ

設問 2

WACCは次の算式で求めることができる。

$$WACC=\frac{E}{E+D}\times r_E+\frac{D}{E+D}\times r_D\times(1-\text{実効税率})$$

（E：株式価値、D：負債価値、r_E：株主資本コスト、r_D：負債コスト）

したがって、

$$WACC=\frac{3{,}500}{3{,}500+3{,}500}\times0.11+\frac{3{,}500}{3{,}500+3{,}500}\times0.05\times(1-0.4)=0.07$$

となる。

なお、WACCの算定の際には「時価」を用いることに注意すること。

正解 ▶ ア

Memo

6章

問題 43 企業価値

1 ／ 2 ／ 3 ／

次のA社の資料に基づいて、以下の各設問に答えよ。

【資　料】

- 営業利益：100 億円（この額は毎年一定とする）
- 負債利子：20 億円（この額を毎年支払い続ける）
- 負債利子以外の営業外損益および特別損益はない
- 法人税等の実効税率：40%
- 負債利子率：4 %（毎年一定）
- 株主資本コスト：10%（毎年一定）
- 税引後当期純利益は全額配当される
- 減価償却費と同額の設備投資を毎年行う
- 運転資本の増減は発生しない

設問 1 負債価値と株式価値の算定

A社の負債価値と株式価値の組み合わせとして最も適切なものはどれか。

ア　負債価値：833億円　株式価値：800億円
イ　負債価値：500億円　株式価値：800億円
ウ　負債価値：833億円　株式価値：480億円
エ　負債価値：500億円　株式価値：480億円

設問 2 加重平均資本コストの算定

A社の加重平均資本コストとして最も適切なものはどれか。

ア　5.83%　**イ**　6.12%　**ウ**　6.57%　**エ**　6.91%

設問 3 企業価値の算定

フリーキャッシュフローに基づいて算出したA社の企業価値として最も適切なものはどれか。なお、計算の際には、設問 2 で求めた加重平均資本コストを使用すること。

ア　980億円　**イ**　1,300億円　**ウ**　1,313億円　**エ**　1,633億円

解説

スピテキLink▶　6章3節1項

設問 1

POINT

負債価値は負債利子を負債利子率で割り引くことで求められる。

負債価値＝負債利子20億円÷負債利子率0.04＝500億円

また、株式価値は配当額を株主資本コストで割り引くことで求めることができる。資料より配当額は税引後当期純利益になる。

税引後当期純利益＝(100億円－20億円)×(１－0.4)＝48億円

株式価値＝48億円÷株主資本コスト0.1＝480億円

エ　○：上記より、負債価値が500億円、株式価値が480億円となる。

正解　▶ エ

設問 2

POINT

加重平均資本コスト（WACC）は、税引後負債利子率と株主資本コストを負債価値および株式価値で加重平均して算定する。

$$WACC=\frac{500}{980}\times 0.04\times(1-0.4)+\frac{480}{980}\times 0.1=0.06122\cdots\Rightarrow 6.12\%$$

イ　○：上記より、加重平均資本コストは6.12%となる。

正解　▶ イ

設問 3

POINT フリーキャッシュフロー(FCF)は次の算出式により算定する。

FCF＝営業利益×(１－実効税率)＋減価償却費
－運転資本増加額－設備投資額

減価償却費と設備投資額は同額であり、運転資本は増減しないことを考慮しFCFを求める。

FCF＝100億円×(１－0.4)＝60億円

また、企業価値はFCFを加重平均資本コスト（WACC）で割り引くことにより算定できる。

企業価値＝60億円÷0.0612≒980億円

ア　○：上記より、企業価値は980億円となる。

正解 ▶ ア

Memo

問題 44　資金調達構造

1 ／　2 ／　3 ／

資金調達手段の記述として、最も不適切なものはどれか。

ア　企業間信用による調達は、外部金融であり短期資金である。
イ　社債発行による調達は、外部金融のうち直接金融に分類される。
ウ　株式発行による調達は、内部金融のうち直接金融に分類される。
エ　利益の内部留保や減価償却による調達は、内部金融であり長期資金である。

解説

スピテキLink ▶ 6章4節1項

POINT 資金調達手段（構造）に関する問題である。企業の資金調達は、資金調達源泉が企業外部か内部にあるかで分類される。外部金融は、企業外部を資金調達源泉とするため、外部資金調達ともいい、企業間信用（買掛金・支払手形）、間接金融、直接金融がある。間接金融は、金融機関などを通じて間接的に資金調達する形態であり、直接金融は、資本市場を通じて社債発行、株式発行等により資金調達する形態である。

内部金融は、企業自らの資本運用による成果であり、狭義には利益留保のみであるが、広義には減価償却費も含まれる。

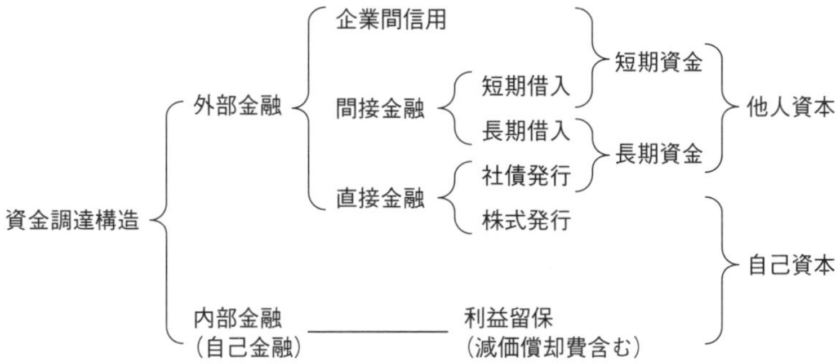

ア ○：正しい。企業間信用による調達は、支払手形や買掛金による資金調達を意味し、通常は１年以内の短期に決済されることから、短期資金に該当する。

イ ○：正しい。社債発行による調達は、外部金融のうち直接金融に分類される。

ウ ×：株式発行による調達は、外部金融のうち直接金融に分類される。

エ ○：正しい。利益の内部留保や減価償却による調達は、内部金融であり長期資金である。

正解 ▶ ウ

問題 45　財務レバレッジ

1 ／　2 ／　3 ／

当社の目標とする総資本事業利益率が８％、自己資本利益率が14％であるとき、目標とする負債比率として、最も適切なものはどれか（単位：倍）。ただし、負債利子率は４％で、税率は30％とする。

ア　0.8
イ　1.5
ウ　3
エ　3.6

解説

スピテキLink▶ 6章4節2項

POINT 財務レバレッジに関する問題である。本問は、負債比率が問われている。財務レバレッジとは、負債比率が自己資本利益率（ROE）の変動に影響を与えることである。財務レバレッジ効果の計算式を覚えていれば解答できる（なお、計算式の導出過程の理解は不要である）。

財務レバレッジの計算式は次のとおりである（自己資本利益率：ROE、総資本事業利益率：ROA）。

ROE＝（１－税率）×｛ROA＋（ROA－負債利子率）×負債比率｝

より、

14＝（１－0.3）×｛８＋（８－４）×負債比率｝

20＝８＋（８－４）×負債比率

∴　負債比率＝３（倍）

正解 ▶ ウ

問題46　企業価値（MM理論）

1 ／　2 ／　3 ／

次のMM理論を説明した文章中の空欄AおよびBに入る語句として、最も適切なものの組み合わせを下記の解答群から選べ。

法人税が存在する場合、負債比率を上昇させると、節税効果による資本コストの［A］により、借入金のない企業の企業価値に比べ、借入金のある企業の企業価値の方が［B］なる。

〔解答群〕

ア　A：低下　　B：低く
イ　A：低下　　B：高く
ウ　A：上昇　　B：低く
エ　A：上昇　　B：高く

解説

スピテキLink ▶ 6章4節3項

POINT MM理論に関する問題である。MM理論は、法人税が存在しない市場と、法人税が存在する市場とで結論が異なるのでそこをおさえておくと良い。

法人税が存在する場合、負債比率を上昇させると、節税効果による資本コストの低下により、借入金のない企業の企業価値に比べ、借入金のある企業の企業価値の方が高くなる。

よって、空欄Aは「低下」、空欄Bは「高く」の組み合わせが正しく、イが正解である。

正解 ▶ イ

問題47 企業価値（MM理論）

1 ／ 2 ／ 3 ／

当社は普通株式と社債発行によって資金調達を行っている。当社の普通株式と社債の時価は次のとおりである。投資家は、現在、普通株式には15%、社債には９%の収益率を要求している。

（単位：百万円）

	時　価
社　　債	4,000
普通株式	6,000

ここで、当社と事業資産、事業内容および営業利益の期待値がまったく同じのB社があると仮定する。B社は当社と資本構成のみ異なり、事業資産の全額が普通株式で構成されている。B社の普通株式の要求収益率として、最も適切なものはどれか（単位：%）。ただし、法人税はないものと仮定し、完全で効率的な資本市場の下であることを前提とする。

ア 8.6　　**イ** 9.2　　**ウ** 10.4　　**エ** 12.6

解説

スピテキLink▶ 6章4節3項

POINT MM理論に関する問題である。MM理論の結論をおさえ、それを用いて計算できるようにしてほしい。

本問では、当社と資本構成のみが異なるＢ社の普通株式の要求収益率が問われている。なお、Ｂ社の資本構成は、全額普通株式である。

MM理論の「法人税が存在しない場合、資本構成が変わってもWACCは一定である」の結論を適合させると、Ｂ社のWACCは当社のものと同じになるはずである。

当社の時価ベースでの調達総額は、10,000百万円であり、普通株式の占める割合が６/10、社債の占める割合が４/10である。よって、WACCは以下のとおりである。

WACC＝社債のコスト９％×（４/10）＋普通株式のコスト15％×（６/10）
＝12.6（％）

Ｂ社のWACCは当社と同じ12.6％になるはずである。そして、株主資本の構成比率が100％であるならば、普通株式の要求収益率もWACCと同じ12.6（％）となる。

正解 ▶ エ

問題48 企業価値（MM理論）

1 ／ 2 ／ 3 ／

U社とL社は、資本構成のみ異なるが、将来のFCFがその変動も含め同一であり3億円と試算されている。U社の資本構成は全額株主資本、L社は10億円の負債（利子率5％）を有している。法人税等は30％である。

MM理論が成立するものとして、U社の株式の要求収益率を10％とした場合、L社の株主価値として最も適切なものはどれか（単位：百万円）。

ア 1,800
イ 2,300
ウ 3,000
エ 3,300

解説

スピテキLink▶ 6章4節3項

POINT MM理論に関する問題である。本問では、法人税が存在する。したがって、負債利用による節税効果のため、財務レバレッジ（負債比率）が高まるほど節税効果の現在価値分だけ企業価値は上昇することになる。負債を利用した場合における企業価値の計算式は、次のとおりである。

借入れのある企業価値L社＝借入れのない企業価値U社＋税率×負債額

借入のない企業価値U社（全額自己資本における企業価値）
＝FCF 3億円÷0.1＝3,000（百万円）

L社の負債額は、1,000百万円であるため、

借入れのある企業価値L社＝3,000＋1,000×30％＝3,300（百万円）
となる。

したがって、L社の株主価値＝3,300－1,000＝2,300（百万円）となる。

正解 ▶ イ

問題49 ポートフォリオ理論

1 ／ 2 ／ 3 ／

2つの証券（A証券、B証券）は、景気の変動により投資収益率が変化し、景気の変動とその確率および変動ごとの2つの証券の収益率のデータは次のようになっている。

		A証券	B証券
景気	確率	収益率	収益率
好景気	0.4	20%	10%
並の景気	0.4	15%	5%
不景気	0.2	-5%	0%

このデータをもとに以下の各設問に答えよ。

設問1 期待収益率の計算

A証券とB証券の期待収益率の組み合わせとして最も適切なものはどれか。

ア A証券：12%　B証券：6%
イ A証券：13%　B証券：6%
ウ A証券：12%　B証券：7%
エ A証券：13%　B証券：7%

設問2 分散と標準偏差の計算

A証券の分散と標準偏差の組み合わせとして最も適切なものはどれか。

ア 分散：56　標準偏差：7.48%
イ 分散：66　標準偏差：8.12%
ウ 分散：76　標準偏差：8.72%
エ 分散：86　標準偏差：9.27%

設問 3　分散と標準偏差の計算

B証券の分散と標準偏差の組み合わせとして最も適切なものはどれか。

ア　分散：14　　標準偏差：3.74%
イ　分散：15　　標準偏差：3.87%
ウ　分散：16　　標準偏差：4.00%
エ　分散：17　　標準偏差：4.12%

設問 4　共分散の計算

A証券とB証券の共分散として最も適切なものはどれか。

ア　30　　**イ**　32　　**ウ**　34　　**エ**　36

設問 5　相関係数の計算

A証券とB証券の相関係数として最も適切なものはどれか。

ア　−0.92　　**イ**　−0.52　　**ウ**　0.02　　**エ**　0.92

設問 6　ポートフォリオの期待収益率の計算

A証券とB証券を組み合わせたポートフォリオを考える。A証券とB証券の組み入れ比率を「0.6：0.4」としたときのこのポートフォリオの期待収益率として最も適切なものはどれか。

ア　9.6%　　**イ**　10.0%　　**ウ**　10.2%　　**エ**　10.6%

設問 7　ポートフォリオの分散と標準偏差

Ａ証券とＢ証券の組み入れ比率を「0.6：0.4」としたときのこのポートフォリオの分散と標準偏差の組み合わせとして最も適切なものはどれか。

ア　分散：42.56　　標準偏差：6.52％
イ　分散：44.56　　標準偏差：6.68％
ウ　分散：46.56　　標準偏差：6.82％
エ　分散：48.56　　標準偏差：6.97％

設問 8　ポートフォリオの期待収益率と標準偏差の関係

Ａ証券とＢ証券の組み入れ比率を0.1ずつ変化させたときの期待収益率と標準偏差を表した下記のグラフのうち最も適切なものはどれか。なお、①と③は直線、②と④は曲線である。

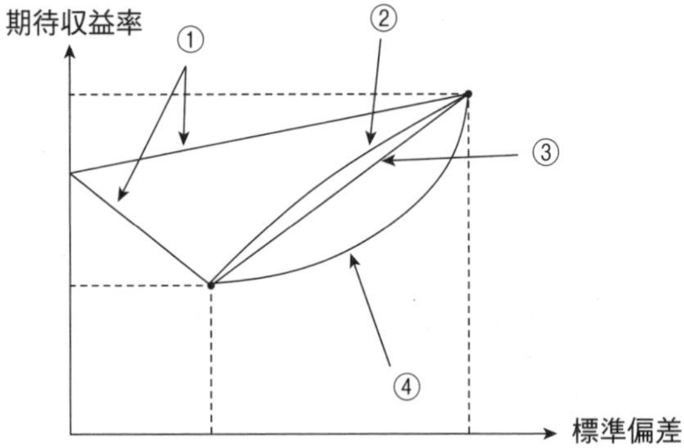

ア　①　　**イ**　②　　**ウ**　③　　**エ**　④

解説

スピテキLink▶　7章1節2・3項、2節1・2項、3節1～3項

設問 1

POINT 期待収益率とは、各証券投資に対しての予測される収益率のことであり、次の方法で計算できる。

期待収益率＝(取る可能性のある収益率×確率)の和

イ　○：A証券の期待収益率＝20%×0.4＋15%×0.4＋(－5%)×0.2＝13%

B証券の期待収益率＝10%×0.4＋5%×0.4＋0%×0.2＝6%

正解 ▶ イ

設問 2

POINT 分散や標準偏差は、期待収益率と取る可能性のある収益率とのばらつきを示す指標であり、実際の収益率と期待収益率との差（これを偏差という）を使って、次の計算式で求めることができる。

分散＝(偏差^2×確率)の和　　標準偏差＝$\sqrt{分散}$

エ　○：分　散＝(20%－13%)^2×0.4＋(15%－13%)^2×0.4＋(－5%－13%)^2×0.2＝86

標準偏差＝$\sqrt{86}$≒9.27

正解 ▶ エ

7章

設問 3

POINT B証券の分散と標準偏差も、設問 2と同様に計算することができる。

ア　○：分　散＝(10%－6%)^2×0.4＋(5%－6%)^2×0.4＋(0%－6%)^2×0.2＝14

標準偏差＝$\sqrt{14}$≒3.74

正解 ▶ ア

設問 4

POINT 共分散とは、環境変化（本問の場合は景気の変動）により2つの証券がどの方向に動くのか、また、その動きの相関性はどの程度か、を判断するための概念であり、次の計算式で求めることができる。

共分散＝(A証券の偏差×B証券の偏差×確率)の和

イ ○：共分散＝7×4×0.4＋2×(－1)×0.4＋(－18)×(－6)×0.2＝32

正解 ▶ イ

設問 5

POINT 相関係数とは、2つの証券の動く方向をプラスやマイナスの符号で、また、2つの証券の相関性の程度を－1～＋1までの範囲の指数として表したものであり、次の計算式で算定できる。

$$相関係数=\frac{共分散}{A証券の標準偏差\times B証券の標準偏差}$$

エ ○：$相関係数=\frac{32}{\sqrt{86}\times\sqrt{14}}\fallingdotseq 0.92$

正解 ▶ エ

設問 6

POINT ポートフォリオの期待収益率は、設問1で求めたA証券とB証券のそれぞれの期待収益率を、組み合わせ比率で加重平均して求める方法が最も簡単である。

ウ ○：期待収益率＝13%×0.6＋6%×0.4＝10.2%

正解 ▶ ウ

設問 7

POINT ポートフォリオの期待収益率は、設問 6 で求めたが、標準偏差まで算定するためには、景気の変動ごとのポートフォリオの収益率を計算する必要がある。

景気	確率	ポートフォリオの収益率	計算式
好 景 気	0.4	16%	20%×0.6＋10%×0.4
並の景気	0.4	11%	15%×0.6＋5%×0.4
不 景 気	0.2	−3%	−5%×0.6＋0%×0.4

次に、このデータをもとに、ポートフォリオの期待収益率から標準偏差の計算プロセスをこれまでの計算手順を基に一覧表で示す。

景気	確率	収益率	期待収益率	偏差	偏差^2×確率	分散	標準偏差
好 景 気	0.4	16%		5.8%	13.456		（約）
並の景気	0.4	11%	10.2%	0.8%	0.256	48.56	6.97%
不 景 気	0.2	−3%		−13.2%	34.848		

エ ○：上記より、ポートフォリオの分散は48.56、標準偏差は6.97％となる。

（注）なお、ポートフォリオの分散（および標準偏差）は次の公式で求めることが可能なので、覚えておいても損はない。

ポートフォリオの分散＝$(X_A)^2\times(\sigma_A)^2+(X_B)^2\times(\sigma_B)^2+2\times(X_A)\times(X_B)\times$（A証券とB証券の共分散）

X_A：A証券の組み入れ比率　X_B：B証券の組み入れ比率　($X_A+X_B=1$)
σ_A：A証券の標準偏差　σ_B：B証券の標準偏差

正解 ▶ エ

設問 8

POINT 2つの証券の組み入れ比率を変化させたとき、当該ポートフォリオの期待収益率と標準偏差の組み合わせの軌跡は、相関係数（ρ）により異なり、具体的には下図のような形状となる。

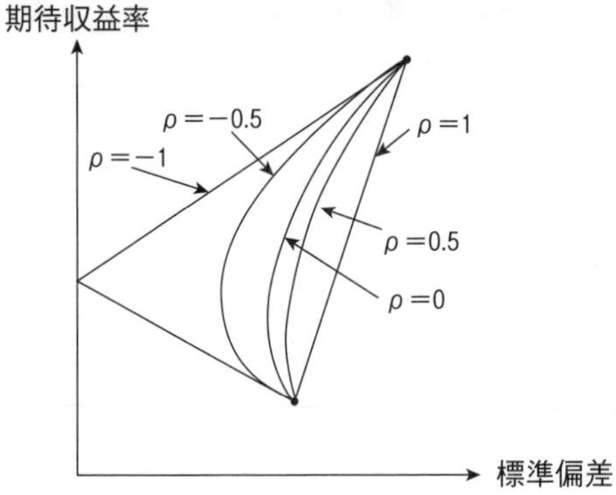

設問 5 より、A証券とB証券の相関係数は0.92と計算されている。したがって、軌跡は相関係数（ρ）が0.5の曲線と1の直線の間に位置することになる。

ア ×：相関係数が−1の場合の軌跡である。
イ ○：上図より相関係数が0.92の場合における軌跡は②となる。
ウ ×：相関係数が1の場合の軌跡である。
エ ×：相関係数は−1から1までの値をとるが、この範囲内で軌跡④に該当する相関係数はない。

正解 ▶ イ

Memo

問題 50 ポートフォリオ理論

1 ／ 2 ／ 3 ／

G社の証券投資の資料をもとにポートフォリオ理論に関する以下の各設問に答えよ。

【資　料】

G社はα証券（以下αとする）とβ証券（以下βとする）を組み合わせて投資しようとしており、αとβの収益率について次の事項が判明している。

発生確率	αの収益率	αの期待収益率	αの偏差	βの収益率	βの期待収益率	βの偏差
0.4	30%	A	B	20%	C	?
0.4	15%		?	5%		?
0.2	5%		?	10%		D

	α	β
期待収益率	A	C
分　　散	94	46
標準偏差	9.7%	6.8%
共分散	52	

設問 1 期待値と偏差

資料の空欄A～Dに入る数値の組み合わせとして最も適切なものはどれか。

ア　A：19%　B：－11%　C：10%　D：－2％
イ　A：14%　B：－11%　C：12%　D：　2％
ウ　A：19%　B：　11%　C：12%　D：　2％
エ　A：14%　B：－11%　C：10%　D：　2％
オ　A：19%　B：　11%　C：12%　D：－2％

設問 2　相関係数

αとβの収益率間の相関係数について述べた次の文章の空欄Ｅ～Ｈに入る語句の組み合わせとして最も適切なものはどれか。

相関係数とは、２つの証券の動く方向を－１～＋１の範囲で表したものである。相関係数の値が＋１ならば２つの証券はまったく［ E ］に動き、逆に相関係数の値が－１ならば２つの証券はまったく［ F ］に動くものと判断できる。いま、資料のαとβの収益率間の相関係数を求めると約［ G ］となり、αとβの正の相関性が比較的［ H ］ということがわかる。

ア　E：同じ方向
F：反対の方向
G：0.79
H：強い

イ　E：反対の方向
F：同じ方向
G：0.79
H：弱い

ウ　E：同じ方向
F：反対の方向
G：0.74
H：強い

エ　E：反対の方向
F：同じ方向
G：0.26
H：強い

オ　E：同じ方向
F：反対の方向
G：0.26
H：弱い

7章

解説

スピテキLink▶　7章1節1項、2節1・2項、3節2項、4節1項

設問 1

POINT

G社が保有するα、β証券（以下α、βとする）投資に対しての予測される収益率（期待収益率）は、確率論における期待値計算の方法で求めることができる。また、偏差は「取る可能性のある値－期待値」すなわち「収益率－期待収益率」で表される。

オ　○：空欄A（αの期待収益率）は30%×0.4＋15%×0.4＋5%×0.2＝19%
空欄C（βの期待収益率）は20%×0.4＋5%×0.4＋10%×0.2＝12%
空欄Bは30%－19%＝11%
空欄Dは10%－12%＝－2%

正解　▶ オ

設問 2

POINT

相関係数とは2証券の動く方向をプラスやマイナスの符号で、また2証券の相関性の程度を0～1までの範囲の指数として表したものであり、次の計算式で求める。

$$相関係数=\frac{共分散}{\alpha の標準偏差\times \beta の標準偏差}\quad\cdots\cdots①$$

相関係数は－1～＋1の範囲の数値で表され、符号は2証券の動く方向性を示し、また数値の絶対値が1に近づくほど相関性は高いと判断できる。

相関係数（ρ：ロー）の符号とその数値の大きさにより、2証券の相関性を次のように分類することができる。

$\rho=1$	全く同じ方向に動く
$0<\rho<1$	同じ方向に動く
$\rho=0$	全く関係なく動く
$-1<\rho<0$	別の方向に動く
$\rho=-1$	全く反対の方向に動く

また、αとβの収益率間の相関係数を求めると次のようになる（①式に代

入)。

$$相関係数 = \frac{52}{9.7\% \times 6.8\%} \fallingdotseq 0.79$$

0.79は0より1のほうに近いので、2証券の相関性は比較的強いといえる。

ア ○：E：同じ方向　F：反対の方向
G：0.79　H：強い

正解 ▶ ア

問題 51 ポートフォリオ理論

1 ／ 2 ／ 3 ／

A、Bの２つの株式から構成されるポートフォリオにおいて、相関係数をさまざまに設定した場合のリターンとリスクを表した下図の①～④のうち、危険資産のリターンが完全に正相関の場合を表したものとして、最も適切なものを下記の解答群から選べ。

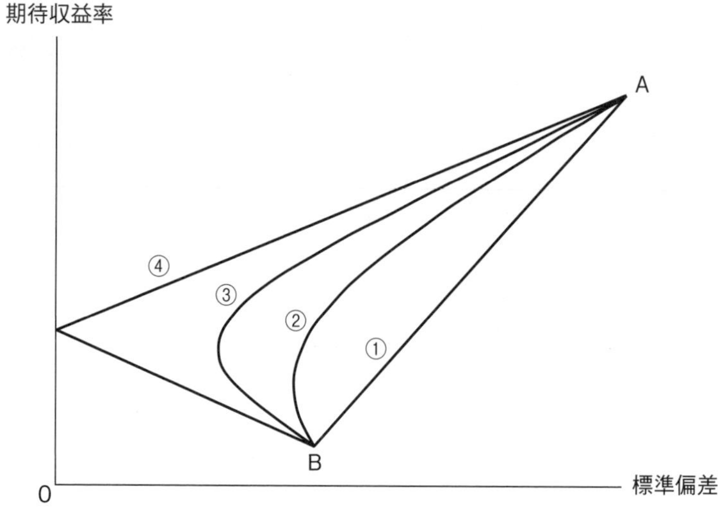

〔解答群〕

ア ①

イ ②

ウ ③

エ ④

解説

スピテキLink▶　7章3節2項

POINT 相関係数とは、２つの証券の動く方向をプラスとマイナスの符号で、また２つの証券の相関性の程度を－１から１までの範囲として表したものである。

相関係数の符号とその数値の大きさにより、２つの証券の相関性は次のように分類される。

$\rho = 1$	全く同じ方向に動く
$0 < \rho < 1$	同じ方向に動く
$\rho = 0$	全く関係なく動く
$-1 < \rho < 0$	別の方向に動く
$\rho = -1$	全く反対の方向に動く

危険資産のリターンが完全に正相関の場合とは、相関係数＝１の場合であり、相関係数＝１の場合には２つの株式はまったく同じ動きをするので、リスク分散効果を得ることはできない。この場合、ポートフォリオの標準偏差は２つの株式の加重平均になり、ポートフォリオは２つの株式のそれぞれの単独の点を結んだ直線上に位置する。これを図示すると①となる。

正解 ▶ ア

問題 52　ポートフォリオ理論

1 ／ 2 ／ 3 ／

以下のグラフは、ポートフォリオ理論の下での、すべてのリスク資産と無リスク資産の投資機会集合を示している。このグラフに関する記述として、最も適切なものを下記の解答群から選べ。

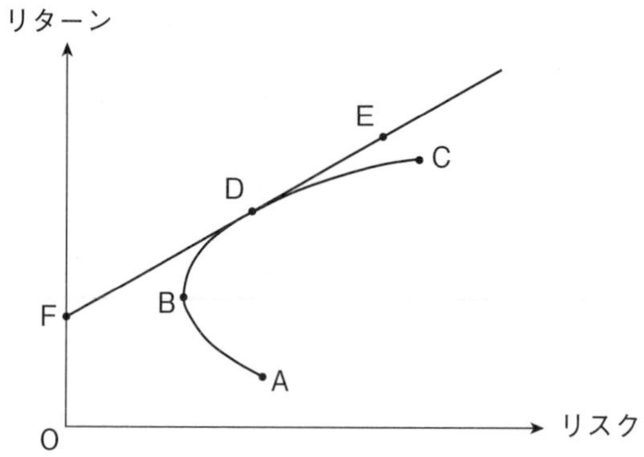

〔解答群〕

ア　無リスク資産が存在しない場合において、投資家のリスク回避度が高くなるほど、点Cに近いポートフォリオを選択する。

イ　無リスク資産が存在しない場合において、合理的な投資家はB－C間から、各人のリスク回避度に応じてポートフォリオを選択する。

ウ　無リスク資産が存在する場合において、すべてのリスク回避的な投資家は無リスク資産のみに投資する。

エ　無リスク資産が存在する場合において、資金の借り入れが、無リスク資産利子率において無制限に可能であるとき、投資家はD－E間を選択せず、F－D間から各自のリスク回避度に応じてポートフォリオを選択する。

解説

スピテキLink▶　7章2節2項、4節1項

POINT 効率的フロンティアに関する問題である。無リスク資産が存在しない場合の効率的フロンティア、および無リスク資産が存在する場合の効率的フロンティアについておさえておきたい。

ア　×：投資家の選択対象は曲線ＢＣの効率的フロンティアである。点Ｂはローリスクローリターンの投資集合を、点Ｃはハイリスクハイリターンの投資集合を表す。よって、リスク回避度が高くなるほど、点Ｂに近いポートフォリオを選択することになる（点Ｃに近いポートフォリオを選択しない）。

イ　○：正しい。リスク資産のポートフォリオとして選択が行われるのは曲線ＢＣの組み合わせの任意の点になる。このＢからＣまでの組み合わせを効率的ポートフォリオといい、その集合である曲線ＢＣを効率的フロンティアという。曲線ＢＣにおいて各人のリスク回避度に応じてポートフォリオを選択する。

ウ　×：無リスク資産とリスク資産が存在する場合、効率的フロンティアは安全資産を示す点Ｆから、リスク資産を示す双曲線に引いた接線Ｆ－Ｄ－Ｅになる。リスク回避的な投資家は、効率的フロンティアとそれぞれの選好に基づく無差別曲線の接点を最適ポートフォリオとして選択する。したがって、すべてのリスク回避的な投資家が、無リスク資産のみに投資するとは限らない。

エ　×：曲線ＤＥを借入ポートフォリオという。曲線ＤＥ上は、投資比率が100%を超えるが、無リスク利子率で資金の借り入れをして、その借り入れた資金で新たにリスク資産に投資する場合を示したものである。したがって、無リスク利子率で資金の借り入れが可能である場合、投資家は曲線ＤＥ間を選択する。

正解 ▶ イ

問題53 CAPM

1 ／ 2 ／ 3 ／

動きの異なる証券（相関係数が1より小さい値をとる）をポートフォリオに加え、銘柄数を増やしていくことで、リスクの軽減を図ることができる。下図は、このポートフォリオ構築によるリスク低減をグラフ化したものである。空欄A～Cに入る用語の組み合わせとして、最も適切なものを下記の解答群から選べ。

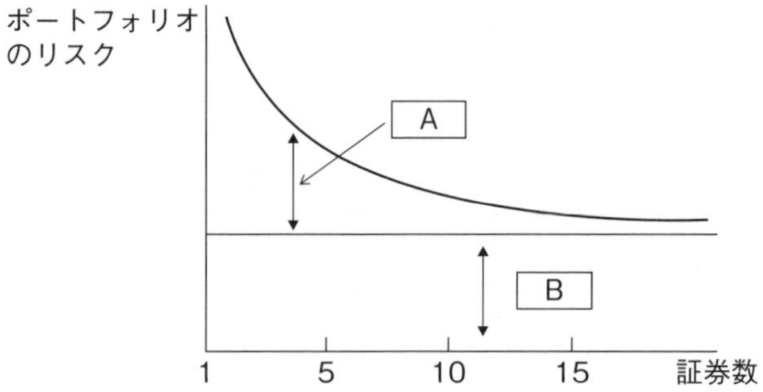

銘柄数を増やし十分に分散化されたポートフォリオは、もっぱら［ C ］の影響を受けることになる。

〔解答群〕

ア　A：システマティックリスク　B：アンシステマティックリスク
　C：システマティックリスク

イ　A：システマティックリスク　B：アンシステマティックリスク
　C：アンシステマティックリスク

ウ　A：アンシステマティックリスク　B：システマティックリスク
　C：システマティックリスク

エ　A：アンシステマティックリスク　B：システマティックリスク
　C：アンシステマティックリスク

解説

スピテキLink▶ 7章4節1項

POINT 分散効果に関する問題である。証券のリスク（総リスク）は、アンシステマティックリスク（個別リスク）とシステマティックリスク（市場リスク）の和で表すことができる。アンシステマティックリスクは、個別証券に固有の変動（研究開発の成否など）で、分散投資により軽減できる（空欄A）。一方、システマティックリスクは、市場の変動に関連して起きる収益率の変動（為替変動など）であり、分散投資でも軽減できない（空欄B）。これらを図示すると次のようになる。

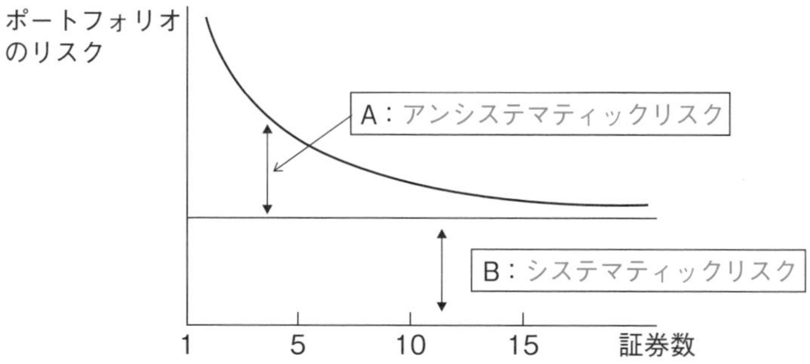

つまり、証券の銘柄数を増やすことにより、分散効果によりアンシステマティックリスクは全体の中で埋没していくが、システマティックリスクは消去できない。したがって、銘柄数を増やし十分に分散化されたポートフォリオは、アンシステマティックリスクが極小化ないし消去され、もっぱらシステマティックリスク（空欄C）の影響を受けることになる。

正解 ▶ ウ

問題 54　CAPM

1 ／　2 ／　3 ／

資本資産評価モデルを前提とした場合、以下の資料に基づく株式の期待収益率として、最も適切なものを下記の解答群から選べ。

【資　料】

負債利子率：5%
市場ポートフォリオの期待収益率：10%
無リスク資産の期待収益率：2%
β：0.5
実効税率：30%

〔解答群〕

ア　4.8%
イ　6 %
ウ　7.5%
エ　10%

解説

スピテキLink▶　7章4節2項

POINT　株式の期待収益率を求める問題である。問題の資料にデータが与えられているため、CAPMの計算式に代入し解けばよい（CAPMの計算式については確実に処理できるようにしたい）。ただし、資料の負債利子率や実効税率は使うことはない（ダミーデータ）。

株式の期待収益率＝無リスク資産の期待収益率＋β×（市場ポートフォリオの期待収益率－無リスク資産の期待収益率）

＝２＋0.5×（10－２）＝６（%）

正解　▶ イ

問題 55 CAPM

1 ／ 2 ／ 3 ／

次のデータに基づいて、株式Zのベータとして、最も適切なものを下記の解答群から選べ（単位：%）。

・株式Zの標準偏差	15%
・市場ポートフォリオの標準偏差	10%
・株式Zと市場ポートフォリオとの相関係数	0.8

〔解答群〕

ア 0.6
イ 0.8
ウ 1.2
エ 1.5

解説

スピテキLink▶　7章4節2項

POINT ベータに関する問題である。ベータは、市場ポートフォリオの分散（バラツキ）に対する個別証券と市場ポートフォリオの共分散（相関性）である。本問は、相関関数を用いた計算式で計算することが求められている。

$$ベータ＝相関係数×\frac{株式Zの標準偏差}{市場ポートフォリオの標準偏差}$$

$$＝0.8×\frac{15\%}{10\%}$$

$$＝1.2$$

正解 ▶ ウ

問題 56 CAPM

1 ／ 2 ／ 3 ／

ある投資家はＩ株式とＪ株式の２銘柄のうち、Ｉ株式に投資資金の30%、Ｊ株式に投資資金の70%を投資しようとしている。この投資家は、各銘柄のβ値、安全利子率、および市場期待収益率について、以下のとおり予想している。CAPMに基づいて投資するとき、当該ポートフォリオの期待収益率として最も適切なものはどれか。

Ｉ株式のβ	1.2	安全利子率	2%
Ｊ株式のβ	0.9	市場期待収益率	4%

ア　3％　**イ**　3.6％　**ウ**　3.98％　**エ**　4％　**オ**　4.11％

解説

スピテキLink▶　7章4節2項

POINT ポートフォリオの期待収益率は、２証券の期待収益率の加重平均である。

投資割合はＩ株式に30%、Ｊ株式に70%であるから、Ｉ株式の期待収益率をＩ（ｒ）、Ｊ株式の期待収益率をＪ（ｒ）とすれば、ポートフォリオの期待収益率Ｐ（ｒ）は以下のようになる。

Ｐ（ｒ）＝Ｉ（ｒ）×0.3＋Ｊ（ｒ）×0.7

Ｉ（ｒ）およびＪ（ｒ）はCAPMに基づき、安全利子率＋β×(市場期待収益率−安全利子率)で求められる。

Ｉ（ｒ）＝２＋1.2×（４−２）＝4.4%

Ｊ（ｒ）＝２＋0.9×（４−２）＝3.8%

以上から、ポートフォリオの期待収益率Ｐ（ｒ）は、

Ｐ（ｒ）＝4.4×0.3＋3.8×0.7＝3.98%

正解 ▶ ウ

問題57　先渡・先物取引

1 ／ 2 ／ 3 ／

先渡・先物取引に関する記述として、最も適切なものはどれか。

ア　先渡取引を締結しても、それを第三者に容易に譲渡することはできる。
イ　先渡取引は、多数の証券取引所で行われている取引である。
ウ　先物取引の用途は、投機による利益獲得のみに制限される。
エ　先物取引は、対象となる原資産、取引単位などは設定済みである。

解説

スピテキLink ▶　7章5節1項

POINT 先渡・先物取引に関する問題である。先渡・先物取引とは、共に将来の定められた期日に定められた価格で原資産を購入あるいは売却する契約である。先渡と先物の大きな違いは、先渡が店頭（相対）取引であるのに対し、先物は取引所を通じた取引という点である。

ア　×：先渡取引では相対取引がなされ、いったん契約を締結すると、それを第三者に譲渡するのは困難である。

イ　×：先渡取引は金融機関などと相対で行われる店頭取引である。

ウ　×：先物取引の用途は投機による利益獲得の他に、リスクヘッジの手段などとしても利用されるため、投機による利益獲得のみに制限されることはない。

エ　○：正しい。先物取引では、取引所により、対象となる原資産、限月、取引単位など価格以外の諸条件が設定済みである。

7
章

正解 ▶ エ

問題58 為替先物予約

1 ／ 2 ／ 3 ／

Ｊ社が行った為替先物予約に関する以下の文章を読み、最も適切なものを下記の解答群から選べ。

日本のＪ社はアメリカのＺ社に対して製品を総額10,000ドルで売り上げた（売上時の為替レートは１ドル＝110円）。代金は３カ月後にＺ社から支払いを受ける契約になっているが、Ｊ社では為替変動による採算性の変動を避けるために、銀行と３カ月先のドル・円為替の為替先物予約を行うことを検討している。なお、３カ月先のドル・円為替の先物予約レートは１ドル＝105円である。

いま、Ｊ社独自に３カ月先の為替変動を予測した結果、60％の確率で３カ月後には為替レートが１ドル＝120円になり、40％の確率で１ドル＝80円になるというデータが得られたという。Ｊ社ではこのデータを信頼に足るものであると判断している。

以上の事柄をもとにＪ社では最も有利な案を採用したいと考えている。なお、資料からわかること以外の事項については考慮外とする。

〔解答群〕

ア　為替先物予約を行っても行わなくても損益は等しいものと予測されるのでどちらでもよい。

イ　為替先物予約を行う場合には、行わない場合に比べて10,000円損失が多いと予測されるので行わないほうがよい。

ウ　為替先物予約を行う場合には、行わない場合に比べて20,000円損失が多いと予測されるので行わないほうがよい。

エ　為替先物予約を行う場合には、行わない場合に比べて10,000円損失が少ないと予測されるので行うほうがよい。

オ　為替先物予約を行う場合には、行わない場合に比べて20,000円損失が少ないと予測されるので行うほうがよい。

解説

スピテキLink▶ 7章5節2項

POINT J社が為替先物予約を(1)行う場合と(2)行わない場合に分けて損益を検討していく。

(1) 為替先物予約を行う場合

J社はZ社に対して10,000ドルの売上債権を有しているので、円安・ドル高になれば為替差益が発生することになる。いま、3カ月先の為替予約レートは1ドル＝105円であり、現在のレートが1ドル＝110円なので、10,000ドル×（105円/ドル－110円/ドル）＝－50,000円となり、50,000円の為替差損が発生することになる。

(2) 為替先物予約を行わない場合

60%の確率で3カ月先の為替レートが1ドル＝120円となり、10,000ドル×（120円/ドル－110円/ドル）＝100,000円の為替差益が発生し、40%の確率で3カ月先の為替レートが1ドル＝80円となり、10,000ドル×（80円/ドル－110円/ドル)＝－300,000円の為替差損が発生すると予測されている。

よって、為替予約を行わない場合の損益の期待値を計算すると、

100,000円×0.6＋（－300,000円）×0.4＝－60,000円

となり、60,000円の為替差損が発生することになる。

エ ○：(1)、(2)より、為替先物予約を行う場合には行わない場合に比べて為替差損が10,000円少なくなるので、行うほうがJ社にとって有利になる。

正解 ▶ エ

問題59 先物取引・先渡取引

1 ／ 2 ／ 3 ／

先渡取引（フォワード）と先物取引（フューチャー）に関する記述として、最も適切なものはどれか。

ア 先物取引は、通常金融機関同士あるいは金融機関と顧客との間で店頭取引される。

イ 先物取引は契約の履行が保証されないため、信用リスクが高い。

ウ 先渡取引では、決済日において先渡価額全額を支払うことで現物との交換により決済される。

エ 先渡取引では、通常証拠金を必要とし、日々証拠金の値洗いが行われる。

解説

スピテキLink▶　7章5節1項

POINT 先渡・先物取引に関する問題である。先渡・先物取引の違いをおさえておこう。

ア　×：先物取引とは、通常取引所で行われる取引のことをいう。

イ　×：先物取引では契約の履行は取引所が保証する。したがって、信用リスクはない（あるいは極めて少ない）とみなすことができる。また、リスク回避の目的で証拠金制度が存在する。

ウ　○：正しい。選択肢のとおりである。

エ　×：証拠金とは、先物取引を行う際に預ける保証金のことであり、先渡取引では通常不要である。

正解　▶ ウ

問題60 オプション取引

1 ／ 2 ／ 3 ／

通貨オプション取引に関する次の文章の空欄A、Bに入る語句および数値として、最も適切なものの組み合わせを下記の解答群から選べ。

当社は、米国の会社に対し、1,000千ドル（為替１ドル＝120円）の商品を掛販売した。

当該売掛金は、３カ月後に決済されるものであり、円高による為替変動のリスクを限定する目的で、売掛金1,000千ドルを原資産とする［　A　］オプション（権利行使価格１ドル＝115円、３カ月後を限月とする）を同時に購入した。当該オプションは、満期日にのみ行使可能なものであり、オプション価格は1,000千円である。

上記オプション取引を実施することにより、1,000千ドルの売掛金と通貨オプションの所有からなるポートフォリオの損失は、最大でも［　B　］千円に限定されることになる。

〔解答群〕

ア　A：プット　　B：4,000

イ　A：プット　　B：6,000

ウ　A：コール　　B：4,000

エ　A：コール　　B：6,000

解説

スピテキLink▶ 7章5節3項

POINT 通貨オプションとは、外貨をある一定期日に売買する権利のことである。オプションには、買う権利と売る権利があり、買う権利のことをコールオプション、売る権利のことをプットオプションという。

また、一定期日における外貨の売買時の為替レートを行使価格といい、オプションを売買する際の価格のことをオプション価格（プレミアム、オプション料）という。

本問の場合、当社は外貨建ての債権（売掛金）を保有しているため、決済時までに為替が円高にふれると為替差損が生じるリスクがある。したがって、円高になると利益が生じる通貨オプション取引を行う必要がある。つまり、円高による原資産（売掛金）の損失を通貨オプション取引の利益で相殺する必要がある。

円高の場合に利益が生じる通貨オプション取引とは、ある一定の権利行使価格でドルを売る権利を購入する（プットオプションの購入）取引が該当する。本問における外貨建て売掛金の原資産とプットオプション（オプション価格を考慮後）の損益図を示すと次のとおりになる。

満期日の為替	売掛金の為替損益	オプション損益	損益合計
@ 130	＋ 10,000 千円	－ 1,000 千円	＋ 9,000 千円
@ 125	＋ 5,000 千円	－ 1,000 千円	＋ 4,000 千円
@ 120	0 千円	－ 1,000 千円	－ 1,000 千円
@ 115	－ 5,000 千円	－ 1,000 千円	－ 6,000 千円
@ 110	－ 10,000 千円	＋ 4,000 千円	－ 6,000 千円
@ 105	－ 15,000 千円	＋ 9,000 千円	－ 6,000 千円

円高とは、つまりドル安である。ドルのプットオプションを購入するということは、ドルがどれだけ値下がりしても行使価格で売却できることを意味する。ドルが値下がりすればするほど、市場から安くドルを調達し、同時にオプションを行使してドルを売却することで得られる利益が拡大する。上記の表からも明らかなように、オプションの購入によって、損失の最大値を固定化できるのである。

よって、問題にある文章の空欄Aには「プット」、空欄Bには「6,000」が入る。

正解 ▶ イ

問題61 オプション取引

1 ／ 2 ／ 3 ／

海外の企業と掛による取引を行っている当社は、為替リスクを軽減するために通貨オプション取引を行っている。次の図は、当社が利用している通貨オプションの損益図である。この図をもとに、以下の各設問に答えよ。なお、当該国以外の国の存在は考慮しないものとする。

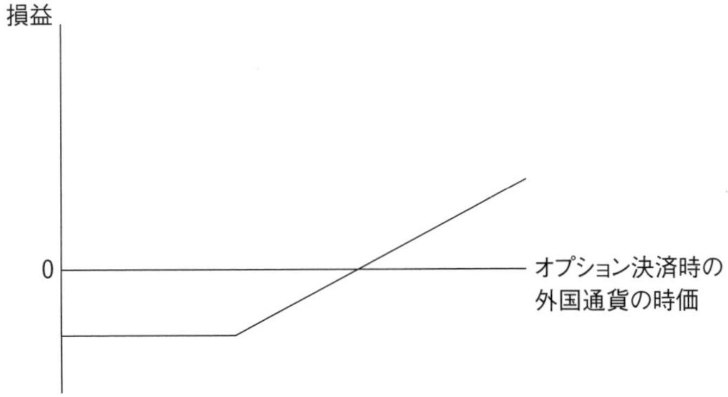

設問1 海外取引

当社が海外企業と行っている取引に関する記述として、最も適切なものはどれか。

ア 当社が海外企業と行っているのは輸出取引であり、自国通貨の価値が低下すると為替損失が発生する。

イ 当社が海外企業と行っているのは輸出取引であり、自国通貨の価値が上昇すると為替損失が発生する。

ウ 当社が海外企業と行っているのは輸入取引であり、自国通貨の価値が低下すると為替損失が発生する。

エ 当社が海外企業と行っているのは輸入取引であり、自国通貨の価値が上昇すると為替損失が発生する。

設問 2　オプション取引

オプションプレミアムに関する次の文章の空欄AとBに入る語句として、最も適切なものの組み合わせを下記の解答群から選べ。

オプションプレミアムとは、オプションの権利に対してつけられる価値のことである。単にプレミアムとよんだり、オプション価格、オプション料などとよんだりすることもある。

満期までの期間が［　A　］ほどオプションプレミアムは高くなるが、それ以外にも［　B　］（ボラティリティの大きさ）や、権利行使価格と時価との乖離幅の大きさ等によって価値が変動する。

〔解答群〕

ア　A：長い　　B：対象資産の価格変動リスクの大きさ

イ　A：長い　　B：価格の先行きの見通しコンセンサスの変化

ウ　A：短い　　B：対象資産の価格変動リスクの大きさ

エ　A：短い　　B：価格の先行きの見通しコンセンサスの変化

解説

スピテキLink▶　7章5節3項

設問 1

POINT　オプションの損益図から、企業の取引を推測する問題である。

　通貨オプション取引の損益図を確認すると、外国通貨の時価が高まれば利益が出る内容であることがわかる。この通貨オプション取引の利益で、輸出入取引から発生する為替損失を相殺することが目的なのだから、当社が行っている輸出入取引は、外国通貨の時価が高まれば損失が出る内容であることがわかる。

　外国通貨の時価が高まったときに為替損失が発生するのは、輸入取引である。輸入により外国通貨建ての買入債務が発生する。外国通貨の時価が高まれば、外国通貨建ての買入債務（負債）も膨らんでしまうのである。外国通貨の価値が高まるとは、言い換えれば自国通貨の価値が低下するということである。

正解 ▶ ウ

設問 2

POINT　オプションは、権利行使期間を過ぎれば消滅する。消滅が早いほどオプションの売り手にとって有利（買い手にとって不利）であり、逆に消滅が遅いほど売り手にとって不利（買い手にとって有利）である。

　このことから、満期までの期間が長いほど、オプションプレミアムは高くなる。よって、空欄Aには「長い」が入る。

「価格の先行き見通しコンセンサスの変化」もオプションプレミアムに影響するが、ボラティリティが意味するのは「対象資産の価格変動リスクの大きさ」である。

正解 ▶ ア

Memo

問題62 オプション取引

1 ／ 2 ／ 3 ／

オプション取引に関する記述として、最も適切なものの組み合わせを下記の解答群から選べ。

a オプション取引では、権利の対価としてオプションプレミアムが授受される。

b アメリカンタイプは、満期日にのみ権利行使可能なオプションである。

c コール・オプションの買いの場合、原資産価格が行使価格を上回ったときにアウト・オブ・ザ・マネーとなる。

d プット・オプションの買いの場合、原資産価格が行使価格を下回ったときにイン・ザ・マネーとなる。

〔解答群〕

ア aとc

イ aとd

ウ bとc

エ bとd

解説

スピテキLink▶　7章5節3項

POINT オプション取引に関する問題である。オプション取引とは、「所定の期日に原資産をあらかじめ定められた価格で買う（売る）ことができる権利」を売買する取引をいう。オプションの種類には、コール・オプション（権利行使価格で一定数の原資産を買うことができる権利）とプット・オプション（権利行使価格で一定数の原資産を売ることができる権利）がある。

a ○：正しい。通常、オプションの買い手が、オプションの売り手にオプションプレミアム（オプション料）を支払う必要がある。

b ×：満期日にのみ権利行使可能なオプションは、ヨーロピアンタイプである。アメリカンタイプは、満期日までの間いつでも権利行使可能なオプションである。

c ×：コール・オプションの買いの場合、原資産価格が行使価格を上回ったときにイン・ザ・マネーとなる。

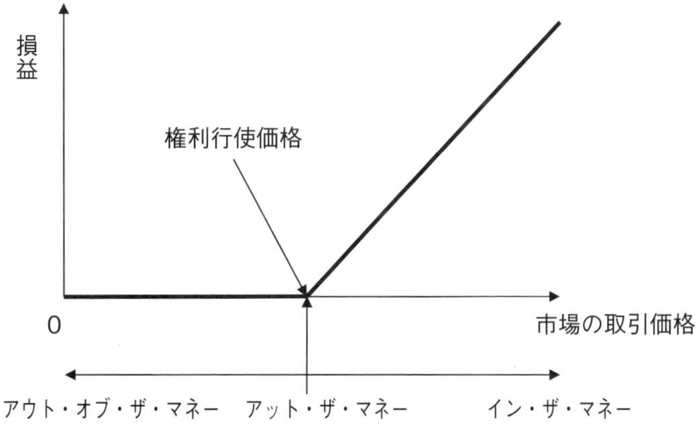

d ○：正しい。プット・オプションの買いの場合、原資産価格が行使価格を下回ったときにイン・ザ・マネーとなる。

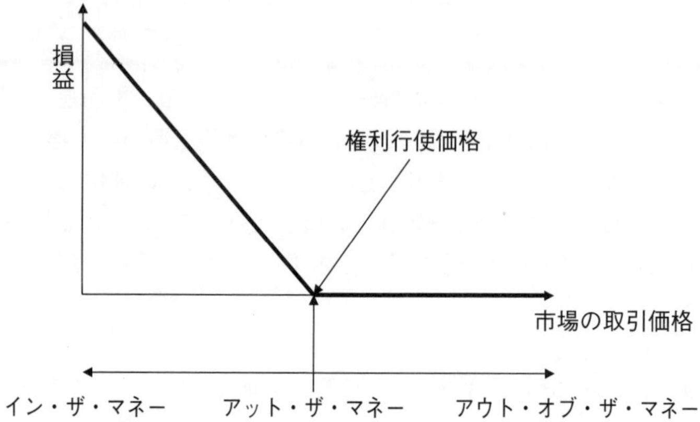

よって、選択肢aとdの組み合わせが正しく、イが正解である。

正解 ▶ イ

Memo

7章

問題 63　貸借対照表の構造

1 ／　2 ／　3 ／

貸借対照表における資産、負債、株主資本が増減する場合、その動きとして最も不適切なものはどれか。

ア　流動資産の増加と純資産（株主資本）の増加
イ　流動資産の増加と固定資産の減少
ウ　固定資産の増加と純資産（株主資本）の減少
エ　固定負債の減少と株主資本の増加

解説

スピテキLink▶　8章4節1項

POINT 貸借対照表の構造と簿記の仕訳のルールに関する問題である。貸借対照表の貸借は必ず一致する（借方の合計額＝貸方の合計額である）ため、選択肢の動きが貸借を一致させるかどうかを考えればよい。

貸借対照表

（借方）	（貸方）
流動資産①	流動負債③
	固定負債④
固定資産②	
	純資産（株主資本）⑤

ア　〇：正しい。流動資産①の増加と純資産（株主資本）⑤の増加は、借方と貸方を増加させることになり、貸借が一致する。たとえば、出資を受けた場合や増資をした場合による資金調達などが該当する。仕訳は次のとおりである。

（借）現　　金　XXX　（貸）資　本　金　XXX

イ　〇：正しい。流動資産①の増加と固定資産②の減少は、借方の減少と借方の増加であり、貸借が一致する。たとえば、固定資産の売却などが該当する。仕訳は次のとおりである。

（借）現　　金　XXX　（貸）固定資産　XXX

ウ　×：固定資産②の増加と株主資本⑤の減少は、借方の増加と貸方の減少であり、貸借が一致しない。

エ　〇：正しい。固定負債④の減少と株主資本⑤の増加は、貸方の減少と貸方の増加であり、貸借が一致する。たとえば、デットエクイティスワップ（DES：債務の株式化）などが該当する。仕訳は次のとおりである。

（借）借　入　金　XXX　（貸）資　本　金　XXX

正解 ▶ ウ

問題 64 勘定

1 ／ 2 ／ 3 ／

当期中における備品の売却に関する次の勘定（一部）に基づき、以下の各設問に答えよ（単位：千円）。

現　金

借方	貸方
250	

備　品

借方	貸方
	500

備品減価償却累計額

借方	貸方
（　　）	

備品減価償却費

借方	貸方
（ A ）	

【条　件】

・備品は、当期首より 3 年前に取得したものである。
・備品は定額法により減価償却を行っている。なお、残存価額 10%、耐用年数 5 年により償却しており、前期末まで適切に処理されている。
・備品の売却は、当期首より 8 カ月経過した時点で行われ、売却代金は現金で受け取っている。

設問 1　勘定

空欄Aに入る金額として、最も適切なものはどれか。

ア 30　　**イ** 60　　**ウ** 90　　**エ** 100

設問 2　備品売却損益

備品売却損益に関する勘定記入として、最も適切なものはどれか。

ア

備品売却損

20	

イ

備品売却損

80	

ウ

備品売却益

	20

エ

備品売却益

	80

解説

スピテキLink▶　8章6節2項

POINT

本問は、有形固定資産（備品）の期中売却の理解を問う問題である（単位：千円）。

期中売却の問題を解答する上でポイントとなるのは、売却時点における有形固定資産の帳簿価額を正確に計算することにある。当該帳簿価額は以下の計算式で求める。

帳簿価額＝取得価額－期首減価償却累計額
　　　　　－期首から売却月までの減価償却費……①

なお、本問では、設問 1 において期首から売却月までの減価償却費を求めさせ、設問 2 において①式で計算した帳簿価額と売却価額との差額から売却損益を求めさせる問題となっている。

設問 1

問題文の条件には、備品の売却は、当期首より８カ月経過した時点で行われているとあるので、その期間（８カ月/12カ月）に対応する減価償却費を月割計算して計上する。

なお、問題文にある勘定より、備品勘定および備品減価償却累計額勘定が与えられているため、間接控除法が採用されていることがわかり、備品勘定の金額が取得価額となる。

$$備品減価償却費＝500\times 0.9\div 5年\times\frac{8カ月}{12カ月}=60$$

正解 ▶ イ

設問 2

備品売却損益を求めるためには、備品売却時点の帳簿価額を算定する必要がある。そのためには、①式のうち、まだ数値が確定していない期首時点の備品減価償却累計額を求める必要がある。

問題文の条件には、備品は、当期首より3年前に取得したとあるので、備品減価償却累計額＝500×0.9÷5年×3年＝270となる。

上記の各数値を①式にあてはめると、帳簿価額＝500－270－60（設問 1 より）＝170となる。売却損益は、帳簿価額170と売却価額250（資料の現金勘定より）との差額なので、売却益80が発生していることがわかる。

ちなみに、備品売却にかかる仕訳を示すと、次のとおりである。

（借方）	現金	250	（貸方）	備品	500
	備品減価償却累計額	270		備品売却益	80
	備品減価償却費	60			

正解 ▶ エ

8章

問題65 勘定

1／ 2／ 3／

下記の各勘定をもとに番号順に取引を類推した。これについて、最も適切なものはどれか（単位：千円）。なお、下記勘定以外のことは考慮しないこととする。

資本金	
	①現金　500

借入金	
②現金　95	

支払利息	
②現金　5	

仕　入	
	③支払手形　50

買掛金	
	④仕入　200

ア　①の取引は当期純利益を資本金に振り替えた取引である。
イ　②の取引は利息を差し引いて借入れを行った取引である。
ウ　③の取引は仕入割引による取引である。
エ　④の取引は掛けで商品を仕入れた取引である。

解説

スピテキLink▶　8章3節1・2項

POINT 仕訳と勘定に関する問題である。勘定から仕訳（取引）に戻せるかがポイントである。

ア　×：①は当期純利益を資本金に振り替えたのではなく、現金で元入れした取引である。

イ　×：②は借入れを行ったのでなく、利息とともに借入金を返済した取引である。

ウ　×：③は仕入割引ではなく、仕入戻しあるいは仕入値引による取引である。仕入割引による取引の記録は、仕入時の逆仕訳では行われないことに注意してほしい。

エ　○：④は掛けで商品を仕入れた取引である。

参考として、各取引の仕訳を示す（単位：千円）。

①	（借方）	現金	500	（貸方）	資本金	500
②	（借方）	借入金	95	（貸方）	現金	100
	（借方）	支払利息	5			
③	（借方）	支払手形	50	（貸方）	仕入	50
④	（借方）	仕入	200	（貸方）	買掛金	200

正解　▶ エ

8章

問題 66 商品有高帳

1 ／ 2 ／ 3 ／

次の商品有高帳（一部未記入）に基づき、商品Aの月間の売上原価として最も適切なものを下記の解答群から選べ。なお、先入先出法により商品有高帳の記入を行っている。

商品有高帳

商品 A

月	日	摘要	受入			払出			残高		
			数量	単価	金額	数量	単価	金額	数量	単価	金額
9	1	前月繰越	20	200	4,000				20	200	4,000
	2	仕入	30	210	6,300						
	5	売上				40					
	10	仕入	50	220	11,000						
	20	売上				30					
	30	次月繰越				?					
			100		21,300	100		21,300			

〔解答群〕

ア 13,800円
イ 14,100円
ウ 14,700円
エ 15,900円

解説

スピテキLink▶ 8章6節4項

POINT 商品有高帳に関する問題である。商品有高帳とは、商品の入庫・出庫状況を記録し、在庫状況を把握するための補助簿のことである。

商品有高帳を作成することで、在庫状況を把握できるだけでなく、期末棚卸高や売上原価の計算に役立てることができる。

次のようなボックス図を作成することで解きやすくなる。

商　品（数量）

前月繰越		売上原価	
9 / 1	20	9 / 5	40
		9 /20	30
当月仕入		次月繰越	
9 / 2	30	9 /30	30
9 /10	50		

払出単価＝@220円（新しく仕入れたものが残っているため、9 /10の単価が該当する）

次月繰越高＝@220円×30個＝6,600円

したがって、

売上原価＝受入高の合計額21,300－次月繰越高6,600＝14,700（円）

となる。

正解 ▶ ウ

問題 67 商品有高帳

1 ／ 2 ／ 3 ／

次の商品有高帳（一部未記入）に基づき、商品Ｚの月間の売上原価として最も適切なものを選べ（単位：円）。ただし、商品の評価は先入先出法による。

商品有高帳

先入先出法　　商品　Z

月	日	摘要	受入			払出			残高		
			数量	単価	金額	数量	単価	金額	数量	単価	金額
7	1	前月繰越	30	200	6,000				30	200	6,000
	2	仕入	50	210	10,500						
	5	売上				20					
	10	仕入	60	220	13,200						
	18	**仕入戻し**	**10**	**220**	**2,200**						
	20	売上				70					
	25	**売上戻り**				**10**					
	31	次月繰越				?					
			130		27,500	130		27,500			

ア　12,500
イ　16,500
ウ　18,600
エ　20,000

解説

スピテキLink▶　8章6節4項

POINT 状況を整理するために次のようなボックス図を作成することで解きやすくなる。

商　品（数量）

前月繰越		売上原価	
7/1	30	7/5	20
		7/20	70
当月仕入		7/25	△10
7/2	50	次月繰越	
7/10	60		
7/18	△10	7/31	50

本問の商品の評価は、先入先出法であるから、次月繰越商品50個は、7/10に仕入れた商品から構成されていることになる。7/10に仕入れた商品の単価は220であるから、次月繰越高は220×50個＝11,000となる。

したがって、

売上原価＝受入高の合計額27,500－次月繰越高11,000＝16,500（円）

となる。

正解 ▶ イ

問題68 売上原価

1 ／ 2 ／ 3 ／

9月の商品Aの取引は以下のとおりであった。9月の売上原価として、最も適切なものを下記の解答群から選べ。なお、先入先出法を採用しているものとする。

日付	摘要	数量	単価
9月1日	前月繰越	20個	150円
2日	仕　入	100個	180円
5日	仕入戻し	10個	180円
16日	売　上	80個	300円
19日	売上戻り	10個	300円
30日	次月繰越	？個	？円

〔解答群〕

ア 12,000円
イ 12,600円
ウ 13,800円
エ 15,600円

解説

スピテキLink▶ 8章6節4項

POINT 売上原価に関する問題である。払出単価の評価方法は、先入先出法（先に仕入れた商品から順次販売されると仮定する方法）である。売上原価を計算する場合、まず、次月繰越額を計算し、前月繰越額と当月仕入額の合計額からこれを控除することで求める。

原価ボックスを作成すると、次のようになる。

商　品（数量）

前月繰越 9/1　20個	売上原価 9/16　80個 9/19　△10個
当月仕入 9/2　100個 9/5　△10個	次月繰越 9/30　40個

前月繰越商品および当月仕入は次のとおりである。

前月繰越商品：20個×150円＝3,000円

当月仕入：100個×180円－10個×180円＝16,200円

次に、次月繰越商品を計算する。先入先出法であり、次月繰越の40個は、9/2に仕入れた商品で構成されることになる。

よって、次月繰越額は、

180円×40個＝7,200（円）となる。

したがって、

売上原価＝前月繰越3,000＋当月仕入16,200－7,200

＝12,000（円）となる。

正解 ▶ ア

8章

問題69 売上原価

1 ／ 2 ／ 3 ／

以下の資料に基づいて、今期の売上原価として最も適切なものを下記の解答群から選べ。

【資　料】

期首商品棚卸高	200千円
当期商品仕入高	800千円
期末商品帳簿棚卸数量	1,500個（原価@100円）
期末商品実地棚卸数量	1,400個

棚卸減耗損のうち30%を売上原価とし、残り70%を販管費とする。

〔解答群〕

ア　840千円
イ　847千円
ウ　850千円
エ　853千円
オ　860千円

解説

スピテキLink▶　8章6節4項

POINT

売上原価の算定に関する問題である。売上原価の算定は、決算整理において次の順番で行われる。

① 期末商品帳簿棚卸高の計算（実地の状態を反映する前の帳簿上の売上原価の計算）

② 棚卸減耗損の計算

③ 商品評価損の計算

①により、帳簿上の売上原価を計算し、②③により実地の状況を売上原価に反映する（②③のうち、売上原価に該当する部分を原価にプラスする）。

本問では、「棚卸減耗損のうち30%を売上原価とし、残り70%を販管費とする」と指示があるため、①により計算した帳簿上の売上原価に②で計算した棚卸減耗損のうちの30%をプラスして、最終的な売上原価を計算することとなる（本問では③商品評価損の計算はない）。

なお、損益計算書上、棚卸減耗損は原価性がある場合には「売上原価の内訳科目」または「販売費及び一般管理費」として表示し、原価性がない場合には「営業外費用」または「特別損失」として表示する。

① 期末商品帳簿棚卸高（帳簿上の売上原価）の計算

売上原価は、期末商品帳簿棚卸高をもとに計算する。なお、期末商品帳簿棚卸高とは、商品有高帳における期末帳簿数量に仕入単価を乗じた金額である。

売上原価＝期首商品棚卸高＋当期商品仕入高－期末商品帳簿棚卸高

問題より、売上原価＝200＋800－(1,500個×100円)＝850千円

これを図示すると、次のようになる。

期首商品棚卸高 200 千円	売上原価 (850 千円)
当期商品仕入高 800 千円	期末商品棚卸高 150 千円

よって、売上原価850千円となるが、期末商品棚卸高150千円に含まれている棚卸減耗損を計算し、これを売上原価の金額にプラスする必要があ

る。

② 棚卸減耗損の計算

期末に現物の商品を実際に数える実地棚卸を行い、紛失や盗難などの販売以外の原因で帳簿数量より実地棚卸数量が減少していることが判明する場合がある。この減少を、棚卸減耗という。棚卸減耗の数量に仕入単価を乗じた金額を棚卸減耗損(棚卸減耗費)という。

棚卸減耗損＝期末帳簿棚卸高－期末実地棚卸高
＝@原価×(期末帳簿数量－期末実地棚卸数量)

問題より、棚卸減耗損＝原価@100円×(1,500個－1,400個)＝10千円

これを図示すると、次のようになる。

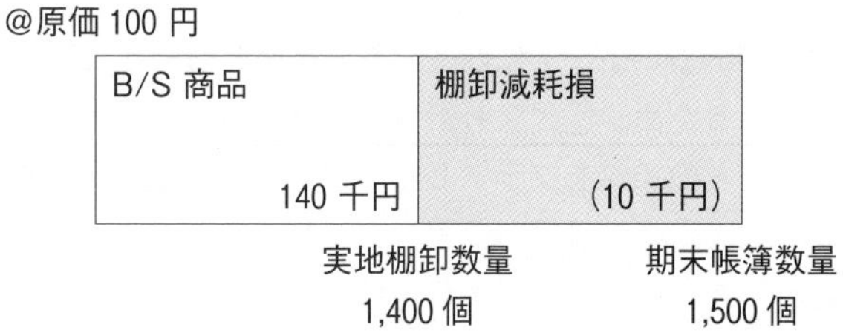

そして、この棚卸減耗損のうち30%を売上原価にプラスする。

したがって、売上原価＝850＋10×30%＝853(千円)となる。

正解 ▶ エ

Memo

問題70 貸倒引当金

1 ／ 2 ／ 3 ／

引当金に関する空欄AとBに入る用語として、最も適切なものの組み合わせを下記の解答群から選べ。

将来の［ A ］であって、その発生が当期以前の事象に起因し、発生の可能性が高く、かつ、その金額を合理的に見積ることができる場合には、当期の負担に属する金額を当期の費用または損失として引当金に繰入れ、当該引当金の残高を貸借対照表の［ B ］に記載するものとする。

〔解答群〕

ア　A：特定の費用　B：負債の部
イ　A：特定の費用　B：負債の部又は資産の部
ウ　A：特定の費用または損失　B：負債の部
エ　A：特定の費用または損失　B：負債の部又は資産の部

解説

スピテキLink ▶ 8章6節3項

POINT 引当金に関する問題である。本問を通じて基本的な事項について整理しておきたい。

> **【引当金の計上要件】**
> ① 将来の特定の費用又は損失
> ② その発生が当期以前の事象に起因
> ③ 発生の可能性が高い
> ④ その金額を合理的に見積もることができる

将来の特定の費用または損失（空欄A）であって、その発生が当期以前の事象に起因し、発生の可能性が高く、かつ、その金額を合理的に見積ることができる場合には、当期の負担に属する金額を当期の費用または損失として引当金に繰入れ、当該引当金の残高を貸借対照表の負債の部又は資産の部（空欄B）に記載するものとする。

よって、空欄Aは「特定の費用または損失」、空欄Bは「負債の部又は資産の部」の組み合わせが正しく、エが正解である。

正解 ▶ エ

8章

問題 71 貸倒引当金

1 ／ 2 ／ 3 ／

期末の決算整理前残高試算表（一部）は次のとおりであった。決算整理に先立ち期中取引を精査したところ、債権（売掛金）にかかる次の処理誤りが発見されたため、処理誤りを修正し、正しい債権金額に基づいて貸倒引当金を設定することにした。

決算整理後残高試算表の貸倒引当金の金額として、最も適切なものを下記の解答群から選べ。

決算整理前残高試算表（一部）

売掛金	9,900	貸倒引当金	100

決算整理事項

・処理誤り

① 期中に売掛金（前期発生）が100貸倒れたが、誤って200と記入していた。

② 売掛金1,000が現金により回収されていたが、未記帳であった。

・貸倒引当金の設定

③ 期末売掛金に対して4%を差額補充法により設定する。

〔解答群〕

ア 200

イ 360

ウ 420

エ 480

解説

スピテキLink▶ 8章6節3項

POINT 貸倒引当金の設定に関する問題である。債権残高、貸倒見積高の計算、差額補充法についておさえておきたい。

貸倒引当金の設定対象である期末債権（売掛金）残高に誤りがあるため、当該誤りを修正し（決算整理事項①②）、正しい債権金額に基づいて貸倒引当金を設定（決算整理事項③）する必要がある。

・修正仕訳について

①は、本来の仕訳に金額を調整すべく修正仕訳を行う必要がある。下記の「本来の仕訳」と「実際の仕訳」から「修正仕訳」を導くことができる。

本来の仕訳

（借）	貸倒引当金	100	（貸）	売掛金	100

実際の仕訳（誤った仕訳）

（借）	貸倒引当金	200	（貸）	売掛金	200

修正仕訳（決算時の仕訳）

（借）	売掛金	100	（貸）	貸倒引当金	100

②は、未記帳であった（本来の仕訳が行われていない）ため、下記の仕訳を行う。

（借）	現金	1,000	（貸）	売掛金	1,000

③は、上記①②により修正した正しい当期末債権金額（9,900＋100－1,000＝9,000）を基に、貸倒引当金を設定する。貸倒引当金の要設定額は、売掛金9,000×４％＝360である。

決算整理後残高試算表（一部）

売掛金	9,000	貸倒引当金	360

なお、決算整理仕訳は、貸倒引当金残高は200（＝100＋100）であるから、次のようになる。

（借）	貸倒引当金繰入額	160	（貸）	貸倒引当金	160

正解 ▶ イ

問題72 減価償却費

1 ／ 2 ／ 3 ／

当期はX７年４月１日からX８年３月31日の１年間である。決算整理前の機械勘定の残高は200,000円であるが、当期より直接控除法から間接控除法に記帳方法を変更する。この機械はX１年４月１日に取得したものであり、耐用年数10年、残存価額をゼロとする定額法により減価償却を行っている。この機械の取得原価として、最も適切なものはどれか。

ア 200,000円
イ 350,000円
ウ 500,000円
エ 650,000円

解説

スピテキLink▶　8章6節2項

POINT 機械の取得原価（減価償却）に関する問題である。
定額法の減価償却費は「(取得原価－残存価額)÷耐用年数」と計算する。残存価額と耐用年数は与えられているため、ここから取得原価を推定する必要がある。

この機械は、取得日がX1年4月1日であるため、取得から当期首までに6年が経過した状態である（6年分の償却が済んでいる状態である）。したがって、取得原価は以下のとおり推定することができる（取得原価をXとおく）。

取得原価：$X-\frac{6}{10}X=200{,}000$

$\frac{4}{10}X=200{,}000$

$X=500{,}000$（円）

8章

正解 ▶ ウ

問題73 減価償却費

1 ／ 2 ／ 3 ／

以下の資料に基づき、当期（当期は×3年4月1日から×4年3月31日の1年間である）における減価償却費の金額として最も適切なものを、下記の解答群から選べ。なお、減価償却は直接控除法により記帳している。また、建物・備品ともに残存価額はゼロである。

【資料①】

決算整理前残高試算表（単位：千円）

建　物	15,000	
備　品	?	

【資料②】

種　類	償却方法	耐用年数	償却率	取得日
建　物	定額法	5年	－	×1年4月1日
備　品※	定率法	10年	0.2	×2年4月1日

※備品の取得原価は2,500千円である。

〔解答群〕

ア 3,200千円
イ 3,400千円
ウ 5,200千円
エ 5,400千円

解説

スピテキLink▶　8章6節2項

POINT 減価償却費に関する問題である。定額法および定率法の計算方法を身につけておきたい。なお、建物については、取得原価を推定する必要がある。

＜建物＞

建物は、定額法により減価償却を行っている。

定額法の減価償却費は「(取得原価－残存価額)÷耐用年数」と計算する。残存価額と耐用年数は与えられているが、取得原価は与えられていないため、金額を推定する必要がある(減価償却費の記帳方法として直接控除法が採用されているため、決算整理前残高試算表の金額は建物の取得原価ではなく、期首帳簿価額である点に注意する)。

建物は、取得日が×1年4月1日であるため、取得から当期首までに2年が経過した状態である(2年分の償却が済んでいる状態である)。したがって、取得原価は以下のとおり推定することができる(取得原価をXとおく)。

$$\text{建物の取得原価：} X-\frac{2}{5}X=15{,}000$$

$$\frac{3}{5}X=15{,}000$$

$$X=25{,}000\text{(千円)}$$

したがって、当期末に計上される減価償却費は以下のとおりである。

当期減価償却費：(25,000－0)÷5＝5,000(千円)

＜備品＞

備品は、定率法により減価償却を行っている。

定率法の減価償却費は「期首未償却残高(取得原価－期首減価償却累計額)×年償却率」と計算する。

備品は、×2年4月1日に取得しているため、期首までに1年の償却を行っている。よって、期首未償却残高は次のとおりである。

期首未償却残高：2,500－(2,500×0.2)＝2,000(千円)

よって、当期の備品の減価償却費は次のとおりである。

備品の減価償却費：2,000×0.2＝400(千円)

上記より、当期末に計上される減価償却費は5,400(5,000＋400)千円である。

正解 ▶ エ

Memo

問題74 固定資産の売却損益（減価償却費）

1 ／ 2 ／ 3 ／

20X4年９月30日、建物を280万円で売却した。この建物は、20X2年４月１日に500万円で取得し、耐用年数５年、残存価額ゼロ、定額法により償却してきたものである。当期は20X4年度（20X4年４月１日～20X5年３月31日）であり、決算日は３月31日（年１回）で、減価償却は月割計算している。このとき、建物にかかる売却損益として、最も適切なものはどれか。

ア 売却損50万円
イ 売却損30万円
ウ 売却益10万円
エ 売却益30万円

解説

スピテキLink▶　8章6節4項

POINT 固定資産の売却損益に関する問題である。減価償却費を正しく計算し、売却時の帳簿価額を正しく認識する必要がある。

毎年の減価償却費は500÷5年＝100万円である。使用期間は2.5年（20X2年4月1日から20X4年9月30日）である。

当期首までの減価償却累計額は、100×2年＝200万円である。期首から売却月までの減価償却費は、100×6/12月＝50万円である。

よって、売却時の帳簿価額は、取得価額500－（期首減価償却累計額200＋当期の減価償却費50）＝250万円となる。したがって、売却の価額が280万円であるから、売却益は30万円となる。

なお、仕訳（間接控除法）は次のようになる。

（借）	減価償却累計額	200	（貸）	建　　物	500
	減価償却費	50		建物売却益	30
	現　　金	280			

【参考】取得から売却までの流れ

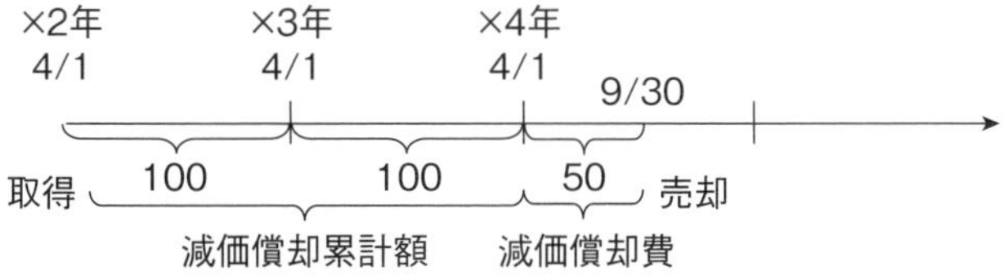

正解 ▶ エ

問題 75　経過勘定

1 ／　2 ／　3 ／

20X1年9月1日に100,000千円を借り入れた（20X5年8月31日に一括返済する約定のものである）。利率は年3％、利息は20X2年2月末日を初回として6カ月ごとに後払いする契約である。当期（20X1年4月1日から20X2年3月31日）の支払利息の金額として最も適切なものはどれか。なお、この他の支払利息の発生はないものとする。

ア　1,500千円
イ　1,750千円
ウ　3,000千円
エ　3,500千円

解説

スピテキLink ▶ 8章6節5項

POINT 経過勘定に関する問題である。期中における処理と決算における処理を確実にできたかがポイントである。

＜借入（9月1日）＞

（借）	現金預金	100,000	（貸）	借入金	100,000

＜利息の支払い（2月末）＞

（借）	支払利息※	1,500	（貸）	現金預金	1,500

※$100,000 \times 3\% \times \frac{6}{12} = 1,500$（千円）

＜決算整理：利息の見越（3月31日）＞

（借）	支払利息※	250	（貸）	未払利息	250

※$100,000 \times 3\% \times \frac{1}{12} = 250$（千円）

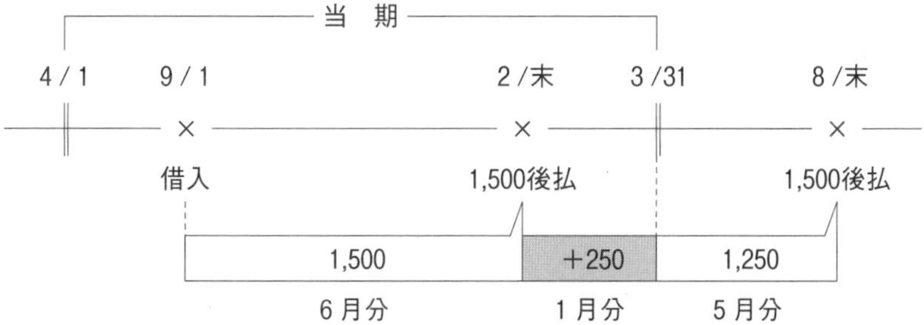

上記より、当期の支払利息は1,500＋250＝1,750（千円）である。

正解 ▶ イ

問題 76 経過勘定

1 ／ 2 ／ 3 ／

当年度における次の勘定記入の空欄A～Cに入る最も適切なものの組み合わせを下記の解答群から選べ。なお、会計期間は4月1日～3月31日である。

支　払　利　息

4/1	A	1,000	3/31	B	1,000
6/1	現　金	8,000	3/31	C	8,000
		9,000			9,000

〔解答群〕

ア　A：前払利息　B：前払利息　C：損益

イ　A：前期繰越　B：前払利息　C：次期繰越

ウ　A：未払利息　B：損益　C：未払利息

エ　A：未払利息　B：未払利息　C：次期繰越

解説

スピテキLink▶ 8章6節5項

POINT 経過勘定（勘定記入）に関する問題である。
①勘定から仕訳ベースに戻し、②仕訳のタイミングと内容から取引を推定すると次のとおりである。なお、取引を推定する際のポイントは、勘定科目である支払利息が増えている取引なのか、減らされている取引なのか、なぜ増えているのか、減っているのかといった観点で見ていくことである。

① 仕訳

問題の勘定を仕訳に戻すと、次のようになる。

4/1	（借）	支払利息	1,000	（貸）	A	1,000
6/1	（借）	支払利息	8,000	（貸）	現　　金	8,000
3/31	（借）	B	1,000	（貸）	支払利息	1,000
3/31	（借）	C	8,000	（貸）	支払利息	8,000

② 取引の推定

4/1当期首時点の仕訳で、借方勘定である支払利息が借方に仕訳されているため、支払利息の増加が読み取れる。当期首時点での仕訳であることや、金額の多寡から考えて、再振替仕訳であると推定される。

再振替仕訳は、簿記の処理上の手続きで、経過勘定に関して前期末の決算において行われた仕訳の逆仕訳を行うものである。したがって、3/31の仕訳の逆仕訳であることを考えると、空欄AとBは同一の語句が入ることが推定される。空欄Aには、「前払利息（資産)」か「未払利息（負債)」が入る。そこで6/1の期中仕訳をみると、借方に支払利息8,000が仕訳されていることは、支払利息の増加を意味し、次に3/31期末に貸方に支払利息が仕訳されていることは、支払利息の減少を意味する。期末に支払利息を減少させていることより、空欄Aには、前払利息が入ることがわかる。空欄Bにも前払利息が入る（空欄Aは、決算整理仕訳の逆仕訳であるため、未払利息が該当することはない)。なお、3/31の

（借）	C	8,000	（貸）	支払利息	8,000

という仕訳は、損益振替に関するものである。収益と費用は、期末において損益振替という処理を通じて、損益勘定に振り替えられる。収益及び費用勘定は、期末において残高がすべて損益勘定に集計されるのである。支

8章

払利息勘定は費用勘定であるから、期末においては借方残高になっている。支払利息勘定の残高をゼロにし、損益勘定に集計するための仕訳は、

（借）	損　　益	8,000	（貸）	支払利息	8,000

となる。

正解 ▶ ア

Memo

8章

問題 77 精算表

1 ／ 2 ／ 3 ／

次に示す精算表に基づき、以下の各設問に答えよ（単位：百万円）。

精 算 表

勘定科目	残高試算表		整理記入		損益計算書		貸借対照表	
	借方	貸方	借方	貸方	借方	貸方	借方	貸方
現金	50						①	
売掛金	70							
有価証券	70							
繰越商品	30							
建物	600							
土地	450							
買掛金		60						
借入金		150						
貸倒引当金		5						
減価償却累計額		270						②
資本金		700						
売上高		800						
受取利息		15				④		
仕入	550				⑤			
給料	120							
営業費	50							
支払利息	10							
計	2,000	2,000						
雑損失								
貸倒引当金繰入額								
減価償却費								
?								
未収利息								
未払利息								③
当期純利益					(⑥)			
合計								

【決算整理事項等】

1．現金に関する事項

現金につき実査したところ48であった。帳簿金額との差額は不明であるため、雑損失として処理する。

2．商品に関する事項

期末商品棚卸高は50である。なお、期末商品につき減耗等は生じていない。

3．建物に関する事項

建物の減価償却については、耐用年数6年、残存価額10%の定額法で実施する。

4．貸倒引当金に関する事項

売掛金期末残高に対して、貸倒引当金を10%設定する（差額補充法）。

5．有価証券に関する事項

売買目的で保有しているものであり時価評価する。期末時点における時価は75である。

6．経過勘定に関する事項

（1）利息の未収高：7

（2）利息の未払高：3

設問 1　現金、減価償却累計額

精算表の空欄①、②に入る金額として、最も適切なものの組み合わせを選べ。

ア　①：45　②：360　**イ**　①：45　②：370

ウ　①：48　②：360　**エ**　①：48　②：370

8章

設問 2　未払利息、受取利息

精算表の空欄③、④に入る金額として、最も適切なものの組み合わせを選べ。

ア　③：3　④：18　**イ**　③：3　④：22

ウ　③：4　④：18　**エ**　③：4　④：22

設問 3　仕入、当期純利益

精算表の空欄⑤、⑥に入る金額として、最も適切なものの組み合わせを選べ。

ア　⑤：530　⑥：17　**イ**　⑤：530　⑥：20

ウ　⑤：570　⑥：17　**エ**　⑤：570　⑥：20

解説

スピテキLink▶ 8章8節

POINT 資料にある「1. 現金に関する事項」を処理した後にその他の決算整理を行うことになる（単位：百万円）。
決算整理事項等の仕訳は、次のとおりである。

1.	（借方）雑損失	2	（貸方）現金	2
2.	（借方）仕入	30	（貸方）繰越商品	30
	（借方）繰越商品	50	（貸方）仕入	50
3.	（借方）減価償却費	90	（貸方）減価償却累計額	90
	※600×0.9÷6年＝90			
4.	（借方）貸倒引当金繰入額	2	（貸方）貸倒引当金	2
	※売掛金期末残高70×0.1＝7　差額補充法により、7－5＝2			
5.	（借方）有価証券	5	（貸方）有価証券評価益	5
	※時価75－取得価額70＝5			
6.	（借方）未収利息	7	（貸方）受取利息	7
	（借方）支払利息	3	（貸方）未払利息	3

以上の未処理事項および決算整理事項を整理記入欄に記入し、精算表を完成させると次のようになる。

精算表

勘定科目	残高試算表		整理記入		損益計算書		貸借対照表	
	借方	貸方	借方	貸方	借方	貸方	借方	貸方
現金	50			2			① 48	
売掛金	70						70	
有価証券	70		5				75	
繰越商品	30		50	30			50	
建物	600						600	
土地	450						450	
買掛金		60						60
借入金		150						150
貸倒引当金		5		2				7
減価償却累計額		270		90				② 360
資本金		700						700
売上高		800				800		
受取利息		15		7		④ 22		
仕入	550		30	50	⑤ 530			
給料	120				120			
営業費	50				50			
支払利息	10		3		13			
計	2,000	2,000						
雑損失			2		2			
貸倒引当金繰入額			2		2			
減価償却費			90		90			
有価証券評価益				5		5		
未収利息			7				7	
未払利息				3				③ 3
当期純利益					(⑥ 20)			20
合計			189	189	827	827	1,300	1,300

設問 1

①：48、②：360となる。

正解 ▶ ウ

設問 2

③：3、④：22となる。

正解 ▶ イ

設問 3

⑤：530、⑥：20となる。

正解 ▶ イ

問題 78　本支店会計

1 ／ 2 ／ 3 ／

次の資料に基づいて、支店独立会計制度における未達事項整理後の支店勘定残高として、最も適切なものを下記の解答群から選べ（単位：円）。

未達事項整理前の支店勘定残高　350,000 円（借方）
未達事項
(1) 本店から支店へ商品 80,000 円を発送した
(2) 本店の販売費 15,000 円について支店が立替え払いした
(3) 本店から支店へ 40,000 円を送金した
(4) 支店は本店の売掛金 28,000 円を回収した

〔解答群〕

ア 268,000
イ 280,000
ウ 348,000
エ 363,000

解説

スピテキLink▶　8章9節

POINT 本支店会計に関する問題である。未達事項整理後の支店勘定残高が問われている。本支店間取引および未達処理をおさえておくこと。

支店勘定は、本店で使用するものである。本店に対して未達になっている事項は(2)と(4)である。

支　店	
350,000	

(1)　本店から支店へ商品80,000円を発送した

	本店の仕訳	支店の仕訳
発送時	（支　　店）80,000　（支店売上）80,000	未処理
未達整理	仕訳なし	（本店仕入）80,000　（本　　店）80,000

(2)　本店の販売費15,000円について支店が立替え払いした

	本店の仕訳	支店の仕訳
支払時	未処理	（本　　店）15,000　（現　　金）15,000
未達整理	（販 売 費）15,000　（支　　店）15,000	仕訳なし

(3)　本店から支店へ40,000円を送金した

	本店の仕訳	支店の仕訳
送金時	（支　　店）40,000　（現　　金）40,000	未処理
未達整理	仕訳なし	（現　　金）40,000　（本　　店）40,000

(4)　支店は本店の売掛金28,000円を回収した

	本店の仕訳	支店の仕訳
回収時	未処理	（現　　金）28,000　（本　　店）28,000
未達整理	（支　　店）28,000　（売 掛 金）28,000	仕訳なし

以上より、未達事項整理後の支店勘定残高は、

支　店	
350,000	(2)　15,000
(4)　28,000	

となる　350,000＋(4)28,000－(2)15,000＝363,000（円）。

正解 ▶ エ

8章

問題 79 キャッシュフロー計算書

1 ／ 2 ／ 3 ／

キャッシュフロー計算書における営業活動によるキャッシュフローの区分（間接法）で増加要因として表示されるものはどれか、最も適切なものを選べ。

ア 売上債権の増加
イ 棚卸資産の減少
ウ 仕入債務の減少
エ 短期借入金の増加

解説

スピテキLink▶　9章3節

POINT 営業活動によるキャッシュフローの増加要因に関する問題である。間接法においてプラス（マイナス）に表示されるものを整理しておきたい。

ア　×：売上債権は簿記上、借方項目（運用形態）であり、借方の増加はキャッシュにマイナスに作用する。

イ　○：正しい。棚卸資産は簿記上、借方項目であり、借方の減少はキャッシュにプラスに作用する。

ウ　×：仕入債務は簿記上、貸方項目（調達源泉）であり、貸方の減少はキャッシュにマイナスに作用する。

エ　×：短期借入金の増加は、財務活動によるキャッシュフローの区分である。

正解　▶ イ

問題80　キャッシュフロー計算書

1 ／ 2 ／ 3 ／

以下に掲げるキャッシュフロー計算書に基づき、空欄AおよびBに入る数値の組み合わせとして、最も適切なものを下記の解答群から選べ（単位：千円）。

キャッシュフロー計算書

Ⅰ　営業活動によるキャッシュフロー	
税引前当期純利益	2,000
減価償却費	900
貸倒引当金の増加額	80
受取利息及び受取配当金	−460
支払利息	260
有形固定資産売却損	A
売上債権の増加額	B
たな卸資産の減少額	200
仕入債務の減少額	−120
小　計	(　　　)
利息及び配当金の受取額	430
利息の支払額	−280
法人税等の支払額	−420
営業活動によるキャッシュフロー	(　　　)

（以下省略）

〔解答群〕

ア　A：−1,200　B：−370

イ　A：−1,200　B：370

ウ　A：1,200　B：−370

エ　A：1,200　B：370

解説

スピテキLink▶　9章3節

POINT キャッシュフロー計算書に関する問題である。営業活動によるキャッシュフロー（間接法）の記載方法を確認しておきたい。なお、本試験においては、この問題のように具体的な計算を問うものではなく、キャッシュのプラス調整あるいはマイナス調整が問われることが多い。

有形固定資産売却損は、損益計算書の減算項目に該当するが、キャッシュフロー計算書（間接法）上、プラス調整である。

一方、売上債権は、帳簿（仕訳・T字勘定）上、借方項目に該当する。よって、売上債権が増加すれば、キャッシュはマイナス調整である。

よって、「A：1,200」「B：－370」の組み合わせが正しく、ウが正解である。

正解 ▶ ウ

問題81 キャッシュフロー計算書

1 ／ 2 ／ 3 ／

次のキャッシュフロー計算書（一部）から読み取れる内容として、最も適切なものを下記の解答群から選べ（単位：千円）。

キャッシュフロー計算書（一部）

営業活動によるキャッシュフロー	
税引前当期純利益	1,210
減価償却費	200
貸倒引当金の増加（または減少）額	10
退職給付引当金の増加（または減少）額	30
受取利息及び受取配当金	△ 40
支払利息	60
有形固定資産売却益（または売却損）	29
売上債権の増加（または減少）額	△ 200
棚卸資産の増加（または減少）額	200
仕入債務の増加（または減少）額	△ 100
小　計	1,399
利息及び配当金の受取額	50
利息の支払額	△ 70
法人税等の支払額	△ 500
営業活動によるキャッシュフロー	879

〔解答群〕

ア 損益計算書における支払利息の金額は70である。

イ 当年度貸借対照表において、棚卸資産が前年度末時点より200増加している。

ウ 当年度貸借対照表において、貸倒引当金が10増加している。

エ 損益計算書において、有形固定資産売却益が29計上されている。

解説

スピテキLink ▶　9章3節

POINT キャッシュフロー計算書に関する出題である。各項目がキャッシュフローにどのように影響するかをおさえておきたい。

ア ×：損益計算書に記載されている支払利息は、税引前当期純利益から営業利益まで逆算する過程（キャッシュフロー計算書の税引前当期純利益から小計に至る計算過程）にある支払利息60である。

イ ×：棚卸資産は減少している。キャッシュフロー計算書上の金額は(＋)200であるが、これは棚卸資産が200減少した結果、キャッシュフローに200のプラスの影響があったという意味である。

ウ ○：正しい。貸倒引当金の増加は、キャッシュフローの計算上、加算処理される。

エ ×：選択肢アと同様、固定資産売却益（または売却損）は税引前当期純利益から営業利益まで逆算する過程の処理である。逆算であるから、「29」は、損益計算書上は利益に対してマイナスの影響がある売却損に関するものであると判断できる。

正解 ▶ ウ

問題 82 キャッシュフロー計算書

1 ／ 2 ／ 3 ／

当期のキャッシュフロー計算書（一部抜粋）および財務データの一部は次のとおりである。営業収入と原材料または商品の仕入れによる支出の金額として、最も適切なものの組み合わせを下記の解答群から選べ（単位：百万円）。

キャッシュフロー計算書　（単位：百万円）

Ⅰ．営業活動によるキャッシュフロー	
税引前当期純利益	360
減価償却費	400
特別利益	-120
受取利息及び受取配当金	-80
支払利息	50
売上債権の減少額	120
棚卸資産の増加額	-300
仕入債務の減少額	-140
小　計	（　　　）

財務データ　（単位：百万円）

売 上 高	2,500	売上原価	1,400

〔解答群〕

ア　営業収入：2,380　原材料または商品の仕入れによる支出：－1,560

イ　営業収入：2,380　原材料または商品の仕入れによる支出：－1,840

ウ　営業収入：2,620　原材料または商品の仕入れによる支出：－1,560

エ　営業収入：2,620　原材料または商品の仕入れによる支出：－1,840

解説

スピテキLink▶　9章2節1項

POINT キャッシュフロー計算書（直接法）に関する問題である。与えられたキャッシュフロー計算書（間接法）から、営業収入と原材料または商品の仕入れによる支出が問われている。

営業収入は、売上高をもとに売上債権の増減を調整することで求める。

よって、営業収入＝売上高－売上債権↑※

＝2,500－(－120)

＝2,620(百万円) となる。

※売上債権の減少額120は、たとえば、期末が120であり、期首が240という状態である。つまり、売上債権の期末から期首を差し引いた金額が減少しているということであり、売上債権↑（＝売上債権の期末－期首）は、－120となる。これはキャッシュ上プラスに作用する。

次に、原材料または商品の仕入れによる支出であるが、売上原価をもとにして棚卸資産の増減、仕入債務の増減を調整することで求める。

よって、

－原材料または商品の仕入れによる支出＝－売上原価－棚卸資産↑＋仕入債務↑

＝－1,400－300＋(－140)

＝－1,840(百万円) となる。

※棚卸資産の増加額－300は、棚卸資産が300増加していることを表し、これはキャッシュ上マイナスに作用する。また、仕入債務の減少額－140は、仕入債務が140減少していることを表し、これはキャッシュ上マイナスに作用する。

正解 ▶ エ

問題83 個別原価計算

1 ／ 2 ／ 3 ／

当社は、個別原価計算を実施している。次の原価データに基づき、売上原価の金額として、最も適切なものを下記の解答群から選べ（単位：千円）。

・製造指図書別データ

	No.101	No.102	No.103
材料消費量	500個	400個	900個
直接作業時間	1,000時間	1,200時間	1,800時間
備考	当月着手 仕掛中	当月着手・完成 引渡済	当月着手・完成 未引渡

・直接材料費　1.5千円／個
・直接労務費　1千円／時間
・製造間接費　2,000千円（直接作業時間を基準として配賦）

〔解答群〕

ア 1,850
イ 2,250
ウ 2,400
エ 4,050

解説

スピテキLink▶　10章２節２項

POINT

個別原価計算に関する問題である。個別原価計算の計算を解く際のポイントは、問われている製造指図書のみ計算することである（すべての製造原価について計算するのは得策ではない）。本問では、問われているのは売上原価の金額であるため、製造指図書別データの備考欄を確認し、完成・引渡済のNo.102の製造原価のみが、売上原価となる。したがって、No.102のみ集計すればよい。

・直接材料費＝1.5千円／個×400個＝600千円
・直接労務費＝１千円／時間×1,200時間＝1,200千円
・製造間接費

製造間接費の配賦率＝2,000千円÷直接作業時間合計4,000時間
＝0.5千円／時間

製造間接費＝0.5千円／時間×1,200時間＝600千円

したがって、600＋1,200＋600＝2,400（千円）となる。

正解　▶ ウ

問題84 個別原価計算

1 ／ 2 ／ 3 ／

当社は個別原価計算制度を採用している。原価計算表および製造・販売状況は以下のとおりである。直接作業時間に基づいて製造間接費を配賦するとき、当月の売上原価として、最も適切なものを下記の解答群から選べ。

原 価 計 算 表　　　（単位：千円）

	No.101	No.102	No.103	合　計
直接材料費	200	350	250	800
直接労務費	350	550	300	1,200
製造間接費	(　　)	(　　)	(　　)	1,500
合　計	(　　)	(　　)	(　　)	(　　)

製造・販売状況：

製造指図書No.101：当月直接作業時間290時間、当月完成、当月引渡

製造指図書No.102：当月直接作業時間460時間、当月未完成

製造指図書No.103：当月直接作業時間250時間、当月完成、次月引渡予定

なお、No.101、No.102、No.103はすべて当月から製造に着手している。

〔解答群〕

ア　925千円

イ　985千円

ウ　1,590千円

エ　3,500千円

解説

スピテキLink▶　10章2節2項

POINT 個別原価計算に関する問題であり、売上原価の金額が問われている。本問の計算プロセスは、①売上原価が計上される製造指図書を確認する、②製造間接費の配賦を行い、当該指図書のみ空欄を埋めることで解を導く。

①　売上原価が計上されている製造指図書の確認

製造指図書No.101（当月完成、当月引渡）が該当する。したがって、No.101の製造指図書のみ集計すれば足りることがわかる。なお、各製造指図書のフローは、次のとおりである。

製造原価ボックス

当期総製造費用 No.101 No.102 No.103	当期製品 製造原価 No.101 No.103
	期末仕掛品 No.102

→

損益計算書

当期製品 製造原価 No.101 No.103	売上原価 No.101
	期末製品 No.103

②　製造間接費の配賦

製造間接費の合計額は、1,500千円であり、配賦基準は直接作業時間である。直接作業時間の合計が1,000時間であるため、

単位あたり配賦製造間接費は、1,500÷1,000＝1.5千円／時である。

よって、No.101の製造間接費は、1.5×290＝435千円

したがって、縦計を計算すると、

直接材料費200＋直接労務費350＋製造間接費435＝985(千円)

となる。

正解 ▶ イ

なお、原価計算表を完成させると次のとおりである。

原価計算表　　（単位：千円）

	No.101	No.102	No.103	合　計
直接材料費	200	350	250	800
直接労務費	350	550	300	1,200
製造間接費	435	690	375	1,500
合　計	985	1,590	925	3,500

Memo

問題85 総合原価計算

1 ／ 2 ／ 3 ／

当社は、X製品を単一工程で大量生産している。材料はすべて工程の始点で投入している。月末仕掛品の評価は総平均法による。次の資料は、X製品の当月分の製造に関するものである。当月分のX製品の完成品原価として最も適切なものを下記の解答群から選べ。

＜数量データ＞（注）（　）内は加工進捗度を表す。

月初仕掛品	150 個	（40%）
当月投入	300	
合　　計	450 個	
月末仕掛品	120	（50%）
完成品	330 個	

＜原価データ＞

	直接材料費	加工費
月初仕掛品	5,400 千円	1,590 千円
当月製造費用	9,000 千円	6,600 千円

〔解答群〕

ア 16,500千円

イ 16,566千円

ウ 17,160千円

エ 17,490千円

解説

スピテキLink▶ 10章2節2項

POINT 総合原価計算に関する問題である。総合原価計算では、与えられた条件より、直接材料費と加工費に分けて、ボックス図を作成する。
なお、原価配分は平均法という指示があることに注意する（総平均法の場合には、月初仕掛品と当月投入の内訳を考慮する必要はない）。

直接材料費

月初仕掛品 150 個 5,400 千円	完成品 330 個 10,560 千円※
当月投入 300 個 9,000 千円	月末仕掛品 120 個 3,840 千円※

※(5,400 ＋ 9,000) − 3,840 ＝ 10,560 千円
もしくは
@ 32 × 330 個＝ 10,560 千円

※@ 32 × 120 個＝ 3,840 千円

＜平均法で算出した単価＞
(5,400 ＋ 9,000) ÷ (150 ＋ 300) ＝@ 32 千円

加　工　費

月初仕掛品 60 個 1,590 千円	完成品 330 個 6,930 千円※
当月投入 330 個※ 6,600 千円	月末仕掛品 60 個 1,260 千円※

※ 330 ＋ 120 × 0.5 − 150 × 0.4 ＝ 330

※(1,590 ＋ 6,600) − 1,260 ＝ 6,930 千円
もしくは
@ 21 × 330 個＝ 6,930 千円

※@ 21 × 60 個＝ 1,260 千円

(1,590 ＋ 6,600) ÷ (60 ＋ 330) ＝@ 21 千円

※月初仕掛品は前月末の状態（150個、進捗度40%）がそのまま当月に繰り越される点に注意する。

以上より、当期製品製造原価＝10,560＋6,930＝17,490（千円）となる。

正解 ▶ エ

問題 86 総合原価計算

1 ／ 2 ／ 3 ／

次に示す当社のある月の生産データおよび製造原価データをもとにして、当月の製品製造原価として、最も適切なものを下記の解答群から選べ（単位：千円）。なお、原価配分は先入先出法によるものとする。

〔生産データ〕

X製品：	月初仕掛品	50 個	（80%）
	当月投入	350 個	
	計	400 個	
	月末仕掛品	100 個	（40%）
	完成品	300 個	

注）材料は全て始点で投入している。
（　）内は加工進捗度を示す。

〔製造原価データ〕

	直接材料費	加工費	計
月初仕掛品原価	1,000 千円	280 千円	1,280 千円
当月総製造費用	7,000 千円	3,000 千円	10,000 千円
計	8,000 千円	3,280 千円	11,280 千円

〔解答群〕

ア 8,000
イ 8,880
ウ 8,905
エ 11,280

解説

スピテキLink▶ 10章2節2項

POINT 総合原価計算に関する問題である。総合原価計算では、与えられた条件より直接材料費と加工費に分けてボックス図を作成することになる（直接材料費と加工費の個数換算が異なるため、ボックス図をそれぞれ作成するのがよい）。なお、原価配分は先入先出法という指示があることに注意する。

直接材料費

月初仕掛品 50 個 1,000 千円	完成品 300 個 6,000 千円※
当月投入 350 個 7,000 千円 ※7,000 ÷ 350 個 ＝ 20 千円	月末仕掛品 100 個 2,000 千円※

※（1,000＋7,000）－2,000＝6,000

※ 20 千円× 100 個

加　工　費

月初仕掛品 40 個 280 千円	完成品 300 個 2,880 千円※
当月投入 300 個※ 3,000 千円 ※3,000 ÷ 300 個 ＝ 10 千円	月末仕掛品 40 個 400 千円※

※（280＋3,000）－400＝2,880

※ 10 千円× 40 個

※ 300 個＋ 100 個× 0.4 － 50 個× 0.8 ＝ 300 個

※月初仕掛品は前月末の状態（50個、進捗度80%）がそのまま当月に繰り越される点に注意する。

以上より、当期製品製造原価＝6,000＋2,880＝8,880（千円）となる。

正解 ▶ イ

問題 87　標準原価計算

1 ／　2 ／　3 ／

当社では、標準原価計算を採用している。以下の資料に基づき、数量差異として、最も適切なものを下記の解答群から選べ。

【資　料】

(1)　原価標準（抜粋）

直接材料費　　100 円 / kg× 5 kg＝ 500 円

(2)　当月の生産量

月初仕掛品	20 個	（加工進捗度 50%）
当 月 投 入	120 個	
合　計	140 個	
月末仕掛品	40 個	（加工進捗度 50%）
当月完成品	100 個	

なお、材料はすべて工程の始点で投入されている。

(3)　当月の直接材料費の実際発生額は 68,200 円（110 円 / kg× 620 kg）であった。

〔解答群〕

ア　不利差異：2,000円

イ　不利差異：2,200円

ウ　不利差異：7,000円

エ　不利差異：7,700円

解説

スピテキLink▶ 10章2節2項

POINT 標準原価計算に関する問題である。差異分析に関する問題は、ボックス図を描いて解くと効率的である。

まずは、当月投入量を把握する。ついで、当月投入量より、標準材料消費量を計算し、ボックス図を描くことで、数量差異を計算する。

仕掛品勘定

月初仕掛品 20 個	当月完成品 100 個
当月投入 120 個	月末仕掛品 40 個

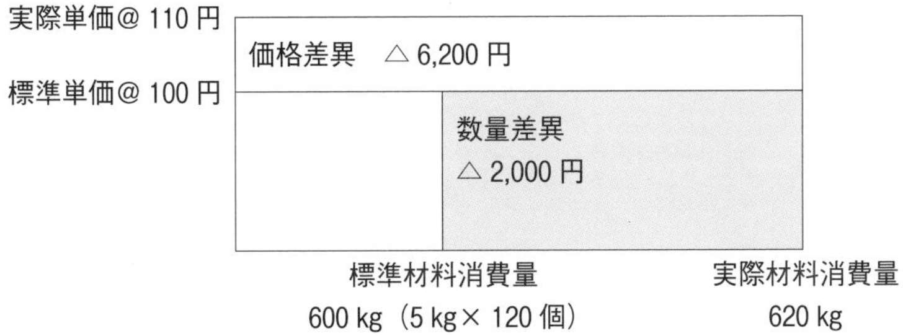

数量差異＝@100円×(600 kg－620 kg)
　　　　＝△2,000(円)

正解 ▶ ア

10章

問題88　企業会計原則

1／　2／　3／

企業会計原則に関する記述として、最も不適切なものはどれか。

ア　資本・利益区別の原則は、維持拘束性をその特質とする資本と、処分可能性をその特質とする利益とを、資本取引と損益取引との区別を通じて明確に区別することを要請している。

イ　会計処理の方法の選択は経営者の判断に任せられていることから、経営者が異なる場合には、会計処理の結果算定された期間利益は異なることがある。しかし、真実性の原則からすると、それらの会計処理はすべて真実であると認められる。

ウ　貸借対照表の表示について、架空資産と架空負債は絶対に認められないが、所有資産または負う負債に関してこれを表示しないことは認められることがある。

エ　企業がいったん採用した会計処理の原則および手続きは、毎期継続して適用しなければならないため、いかなる場合にも変更することはできない。

解説

スピテキLink ▶ 11章1節1項

POINT 企業会計原則に関する問題である。企業の財務諸表は、「企業会計原則」や「会計基準」などの規定に従って会計処理を行う。企業会計原則は、一般原則、損益計算書原則、貸借対照表原則、注解の4つで構成されている。中でも一般原則は、基本的なルールを定めたものである。それぞれの原則の意義を確認しておこう。

ア ○：正しい。資本取引と損益取引を明確に区分することで資本剰余金と利益剰余金とを明確に区分して表示することになり、企業の財政状態・経営成績の適正な開示が可能となる。

イ ○：正しい。真実性の原則における「真実」とは、絶対的真実性（財務諸表の数値がただ一つに決まること）を意味するのではなく、相対的真実性を意味している。相対的真実性とは、複数の会計処理の方法が認められている場合に、作成された財務諸表の数値が異なることもあるが、一般に認められた方法にしたがって作成された財務諸表はどれも真実であるとすることをいう。

ウ ○：正しい。架空資産・架空負債は虚偽の報告を行うことになるので、真実性の原則に反し認められない。これに対して、重要性の乏しい簿外資産・簿外負債が存在したとしても、正規の簿記の原則にしたがった処理として認められる。

エ ×：継続性の変更は、正当な理由がある場合のみ認められる。ここに正当な理由とは、一つの会計事実について、二つ以上の会計処理の原則または手続きの選択適用が認められているとき、適正な処理から適正な処理へ変更することにより、企業会計がより合理的なものになる場合を意味する。

正解 ▶ エ

問題89 減損会計

1 ／ 2 ／ 3 ／

固定資産の減損に関する記述として、最も適切なものはどれか。

ア 固定資産の減損処理は、取得原価基準のもとで回収可能性を反映させるように、過大な帳簿価額を減額し、将来に損失を繰り延べないために行われる会計処理である。

イ 資産または資産グループから得られる割引前将来キャッシュフローの総額が帳簿価額を上回る場合に減損損失を認識する。

ウ 回収可能価額とは、正味売却価額と再調達原価のいずれか高い金額をいう。

エ 減損損失は、帳簿価額から正味売却価額を控除した金額をいう。

解説

スピテキLink ▶ 11章2節1～2項

POINT 固定資産の減損に関する問題である。固定資産の減損とは、固定資産の収益性の低下により投資額の回収が見込めなくなった状態であり、減損処理とは、そのような場合に、一定の条件の下で、回収可能性を反映させるように帳簿価額を減額する会計処理である。

ア ○：正しい。減損処理の目的である。

イ ×：減損の兆候がある資産または資産グループについて、これらが生み出す割引前の将来キャッシュフローの総額がこれらの帳簿価額を下回るときには、減損の存在が相当程度に確実であるとし、そのような場合に減損損失を認識することとされている。

> 帳簿価額≦割引前将来キャッシュフロー
> ⇒　減損損失を認識しない
> 帳簿価額＞割引前将来キャッシュフロー
> ⇒　減損損失を認識する

ウ ×：回収可能価額とは、正味売却価額と使用価値のいずれか高い金額をいう。再調達原価とは、購入市場における時価（購入価額）を意味する。

エ ×：減損損失は、帳簿価額から回収可能価額を控除した金額をいう。

正解 ▶ ア

問題 90　減損会計

1 ／ 2 ／ 3 ／

当社の保有する資産グループAにおいて減損の兆候が認められ、割引前将来キャッシュフローも帳簿価額を下回ることから、減損損失を認識した。測定される減損損失の金額として、最も適切なものを下記の解答群から選べ。なお、当期の減価償却計算は適正に行われているものとする。

【資　料】資産グループAに関する資料

① 帳簿価額：1,200千円
② 時　　価：　780千円
③ 処分費用：　 30千円
④ 使用価値：　840千円

〔解答群〕

ア　360千円
イ　450千円
ウ　750千円
エ　840千円

解説

スピテキLink▶ 11章2節2項

POINT 減損会計は次の手続きで行われる。

① 対象となる資産のグルーピングを行う（認識・測定する単位を定める）
② 減損の兆候の有無の把握
③ 減損損失の認識
④ 減損損失の測定

ただし、本設問においては①～③については手続き済みであり、④の減損損失の測定が問われている。減損損失は、固定資産の帳簿価額を回収可能価額まで減額し、減損損失（特別損失）を認識する。回収可能価額とは、売却による回収額である「正味売却価額」と使用による回収額である「使用価値」のいずれか高い金額をいう。つまり、減損損失を計算するためには、「固定資産の帳簿価額」および「正味売却価額」と「使用価値」の数値が必要となる。

●帳簿価額

与えられた資料より、1,200千円

●回収可能価額

正味売却価額と使用価値のいずれか高い額を回収可能価額とする。

a 正味売却価額

固定資産の時価から処分費用を控除して計算する。

780－30＝750千円

b 使用価値

与えられた資料より、840千円

∴ a＜bより回収可能価額は840千円

●減損損失の測定

「帳簿価額－回収可能価額」より減損損失を計算する。

減損損失：1,200－840＝360千円

正解 ▶ ア

問題91 株主資本等変動計算書

1 ／ 2 ／ 3 ／

下記の空欄A、Bに入る金額の組み合わせとして、最も適切なものを下記の解答群から選べ（単位：百万円）。

株主資本等変動計算書

（単位：百万円）

	株主資本										純資産合計
	資本金	資本剰余金			利益剰余金				自己株式	株主資本合計	
		資本準備金	その他資本剰余金	資本剰余金合計	利益準備金	その他利益剰余金		利益剰余金合計			
						任意積立金	繰越利益剰余金				
前期末残高	5,000	800	50	850	100	100	400	600	△50	6,400	6,400
当期変動額											
新株の発行	200	200		A						?	?
剰余金の配当					30		B	△300		?	?
当期純利益							100	100		100	100
自己株式の処分											
当期変動額合計	200	200		?	?		?	?		?	?
当期末残高	5,200	1,000	50	?	?	100	?	?	△50	?	?

〔解答群〕

ア　A：200　B：△300

イ　A：200　B：△330

ウ　A：400　B：△300

エ　A：400　B：△330

解説

スピテキLink▶ 11章3節1項

POINT 新株発行を行った場合の資本金組入額、剰余金の配当に伴う準備金の積立、および株主資本等変動計算書の読み方をおさえておこう。

株主資本等変動計算書に関する問題である。空欄等を埋めると次のようになる。

株主資本等変動計算書

(単位：百万円)

	株主資本										純資産合計
	資本金	資本剰余金			利益剰余金				自己株式	株主資本合計	
		資本準備金	その他資本剰余金	資本剰余金合計	利益準備金	その他利益剰余金		利益剰余金合計			
						任意積立金	繰越利益剰余金				
前期末残高	5,000	800	50	850	100	100	400	600	△50	6,400	6,400
当期変動額											
新株の発行	200	200		200						400	400
剰余金の配当					30		△330	△300		△300	△300
当期純利益							100	100		100	100
自己株式の処分											
当期変動額合計	200	200		200	30		△230	△200		200	200
当期末残高	5,200	1,000	50	1,050	130	100	170	400	△50	6,600	6,600

・空欄Aについて

新株を発行した際には、会社に対して払込み、または給付された財産の全額が資本金として計上される。ただし、払込みまたは給付された額の2分の1を超えない額を、資本金として計上しないことも可能である。このとき、資本金として計上しなかった額は、資本準備金として計上しなければならない。

株主資本等変動計算書を読むと、新株の発行により、資本金と資本準備金が200百万円ずつ増加していることがわかる。つまり、新株の発行により400百万円が払込まれ、資本金と資本準備金として200百万円ずつ計上したと読み取れる。空欄Aで問われている資本剰余金とは、資本準備金とその他資本剰余金の合計額であるため、200（百万円）が入る。

・空欄Bについて

会社が剰余金の配当を行う場合には、当該剰余金の配当により減少する額の10分の1を資本準備金または利益準備金に積み立てる必要がある。また、この準備金への計上は、配当時の資本準備金と利益準備金の合計額が資本金の４分の１に達していれば不要だが、４分の１未満であれば４分の１に達するまで積立てを行う必要がある。

株主資本等変動計算書を読むと、剰余金の配当により、利益準備金が30百万円増加し、利益剰余金合計が300百万円減少していることがわかる。これは配当として流出する300百万円に対し、300百万円の10分の１に相当する30百万円を利益準備金として積み立てたためであると類推することができる。よって、空欄Bには、△330（百万円）が入る。

解答 ▶ イ

Memo

問題92　剰余金の配当による準備金の計上

1 ／　2 ／　3 ／

剰余金の処分において、株主に対してその他利益剰余金を原資とする配当金4,000千円を支払うことを決定した。以下の資料に基づいて、会社法に従うとき積み立てるべき利益準備金の最低額はいくらか。最も適切なものを下記の解答群から選べ。

【資　料】配当基準日における純資産の部の状況

資　本　金	30,000千円
資本準備金	4,000千円
その他資本剰余金	1,200千円
利益準備金	3,000千円
その他利益剰余金	6,000千円

〔解答群〕

ア　0千円
イ　300千円
ウ　400千円
エ　500千円

解説

スピテキLink▶ 11章3節1項

POINT 剰余金の配当による準備金の計上額を計算する問題である。

剰余金の配当を行う場合には、①配当額の10分の1、②資本金の4分の1－配当時の法定準備金（資本準備金＋利益準備金）のいずれか小さい方の金額を、資本準備金または利益準備金に積み立てる必要がある。

なお、準備金への計上は、配当時の資本準備金と利益準備金の合計額が資本金の4分の1に達していれば不要であり、4分の1未満であれば4分の1に達するまで積み立てを行う必要がある。

① 配当額 $4{,}000\times\frac{1}{10}=400$

② 資本金 $30{,}000\times\frac{1}{4}-$（資本準備金4,000＋利益準備金3,000）

$=7{,}500-7{,}000=500$

$\therefore$ ①400＜②500

したがって、積立額は400（千円）となる。

正解 ▶ ウ

問題93　剰余金の配当による準備金の計上

1 ／　2 ／　3 ／

A社は、定時株主総会において、その他資本剰余金を原資として6,000千円の配当を行うことを決議した。なお、配当を行う前の資本金は20,000千円、資本準備金は1,200千円、利益準備金は3,600千円であった。このとき、積み立てるべき法定準備金として、最も適切なものはどれか。

ア　資本準備金：200千円
イ　資本準備金：600千円
ウ　利益準備金：200千円
エ　利益準備金：600千円

解説

スピテキLink▶　11章3節1項

POINT
剰余金の配当による準備金の計上額を計算する問題である。
剰余金の配当を行う場合には、①配当額の10分の１、②資本金の４分の１−(配当時の法定準備金（資本準備金＋利益準備金)）のいずれか小さい金額を、資本準備金または利益準備金に積み立てる必要がある(その他資本剰余金を配当原資とする場合には資本準備金を積み立て、その他利益剰余金を配当原資とする場合には利益準備金を積み立てることとなる)。

本問ではその他資本剰余金を原資として配当を行うため、資本準備金に積み立てることになり、その金額は次のとおり計算される。

① 配当額$6,000 \times \frac{1}{10} = 600$

② 資本金$20,000 \times \frac{1}{4}$ −(資本準備金1,200＋利益準備金3,600)
＝5,000−4,800＝200
∴　①600＞②200

したがって、積立額は200(千円) となる。

正解 ▶ ア

問題94 リース取引

1 / 2 / 3 /

リース取引に関する記述として、最も適切なものの組み合わせを下記の解答群から選べ。

a オペレーティング・リース取引については、通常の賃貸借取引に係る方法に準じて会計処理を行う。

b リース資産の取得原価は、原則として、リース料総額からこれに含まれている利息相当額を控除して決定し、リース資産の金額と同額をリース債務として計上する。

c ファイナンス・リース取引に係るリース資産は、貸借対照表日後1年以内にリース期間が満了するものは流動資産に、貸借対照表日後1年を超えてリース期間が満了するものは有形固定資産または無形固定資産に含めて表示する。

d ファイナンス・リース取引に係るリース債務については、支払の期限の到来時期にかかわらず固定負債に属するものとして開示する。

〔解答群〕

ア aとb
イ aとc
ウ bとc
エ bとd
オ cとd

解説

スピテキLink▶　11章4節1～3項

POINT リース取引に関する会計基準に関する問題である。リース取引は、ファイナンス・リース取引が論点の中心となるため、ファイナンス・リース取引に該当する要件や所有権移転・移転外の相違点を整理しておこう。

a　○：正しい。オペレーティング・リース取引については、通常の賃貸借取引に係る方法に準じて会計処理を行う。

b　○：正しい。選択肢のとおりである。

c　×：リース資産については、原則として、有形固定資産に一括してリース資産として表示する。ただし、有形固定資産に属する各科目に含めることもできる。

d　×：ファイナンス・リース取引に係るリース債務については、貸借対照表日後1年以内に支払の期限が到来するものは流動負債に属するものとし、貸借対照表日後1年を超えて支払の期限が到来するものは固定負債に属するものとする。

よって、選択肢aとbの組み合わせが正しく、アが正解である。

正解　▶ ア

問題95 税効果会計

1 ／ 2 ／ 3 ／

一時差異等にかかる税金の額は、将来の会計期間において回収または支払いが見込まれない税金の額を除き、繰延税金資産または繰延税金負債として計上しなければならない。文中の下線部を計上しなければならない事項として、最も適切なものの組み合わせを下記の解答群から選べ。

a　受取配当金の益金不算入額
b　減価償却費の損金算入限度超過額
c　商品評価損の損金不算入額
d　寄付金の損金不算入額

〔解答群〕

ア　a と c
イ　a と d
ウ　b と c
エ　b と d

解説

スピテキLink ▶ 11章5節3項

POINT 繰延税金資産（将来減算一時差異）と永久差異の代表的な項目の相違点がわかればよい。将来減算一時差異としては、減価償却費の超過額、引当金の繰入超過額、商品評価損の損金不算入額などが代表的である。

a ×：永久差異の項目である。
b ○：正しい。将来減算一時差異の項目である。
c ○：正しい。将来減算一時差異の項目である。ただし、商品評価損は、災害により著しく損傷した場合など一定の要件を満たした場合は、税務上損金として認められる（その場合は、会計上と税務上で差が生じないため、税効果会計の対象にならない）。
d ×：永久差異の項目である。

よって、選択肢bとcの組み合わせが正しい。

正解 ▶ ウ

問題96 税効果会計

1 ／ 2 ／ 3 ／

税効果会計に関して、本事業年度における一時差異の解消・発生に関する資料は次のとおりである。法人税等の実効税率を20%とすると、期末の繰延税金資産と繰延税金負債の金額の組み合わせとして、最も適切なものを下記の解答群から選べ。

（単位：千円）

	期首	解消	発生	期末
貸倒引当金の損金算入限度超過額	150	150	250	（　）
減価償却費の損金算入限度超過額	100	100	150	（　）

〔解答群〕

ア　繰延税金資産：60千円　繰延税金負債：0千円

イ　繰延税金資産：80千円　繰延税金負債：0千円

ウ　繰延税金資産：120千円　繰延税金負債：0千円

エ　繰延税金資産：0千円　繰延税金負債：50千円

解説

スピテキLink▶　11章5節1～3項

POINT 税効果会計に関する問題である。一時差異の把握から、繰延税金資産の期末残高の計算をおさえておこう。

将来減算一時差異としては、減価償却費の超過額、引当金の繰入超過額、棚卸資産にかかる評価損の損金不算入額などが代表的である。よって、貸倒引当金の損金算入限度超過額、減価償却費の損金算入限度超過額は、ともに将来減算一時差異（繰延税金資産）に該当する。

（単位：千円）

	期首	解消	発生	期末
貸倒引当金の損金算入限度超過額	150	150	250	250
減価償却費の損金算入限度超過額	100	100	150	150

将来減算一時差異（繰延税金資産）

＝一時差異の期末残高（250＋150）×税率20%＝80（千円）

となる。参考までに、洗替方式の仕訳は次のようになる（期首分の繰延税金資産を全額取り崩し、期末分の繰延税金資産について全額を計上する）。

・期首

（借）法人税等調整額	50	（貸）繰延税金資産	50

※一時差異の期首残高（150＋100）×税率20%＝50

・期末

（借）繰延税金資産	80	（貸）法人税等調整額	80

また、将来加算一時差異（繰延税金負債）は、圧縮記帳の損金算入額などが該当し、一時差異は生じていないため、ゼロである。

よって、繰延税金資産:：80千円、繰延税金負債：0千円の組み合わせが正しく、イが正解である。

正解 ▶ イ

問題 97　税効果会計　1 ／　2 ／　3 ／

税効果会計について以下の各設問に答えよ。

設問 1　一時差異

税効果会計に関する次の記述中の空欄A～Dにあてはまる語句の組み合わせとして最も適切なものを下記の解答群から選べ。

税効果会計においては、税効果会計を適用するか否かにより差異を［ A ］と［ B ］に区分し、さらに［ A ］については、法人税等を繰り延べるのか見越計上するのかによって［ C ］と［ D ］に区分される。

また、［ C ］は、将来の課税所得を減額する効果をもつものであり、具体例としては減価償却超過額などがある。

〔解答群〕

ア　A：永久差異　B：一時差異
　C：将来減算一時差異　D：将来加算一時差異

イ　A：永久差異　B：一時差異
　C：将来加算一時差異　D：将来減算一時差異

ウ　A：一時差異　B：永久差異
　C：将来減算一時差異　D：将来加算一時差異

エ　A：一時差異　B：永久差異
　C：将来加算一時差異　D：将来減算一時差異

設問 2　税効果会計の処理

以下の資料（損益計算書の一部）に基づいて述べられた税効果会計に関する記述のうち、最も適切なものはどれか（単位：千円）。

※△はマイナスの意味である。

【資　料】

損益計算書（一部）

税引前当期純利益		100,000
法人税、住民税及び事業税	（　?　）	
法人税等調整額	（ ① ）	（　?　）
当期純利益		（　?　）

・法人税等の実効税率は 40%である。
・当期において会計上貸倒損失 5,000 を計上したが、税法上損金と認められなかった。

ア　資料の空欄①には2,000が当てはまり、貸借対照表には繰延税金資産が2,000計上される。

イ　資料の空欄①には2,000が当てはまり、貸借対照表には繰延税金負債が2,000計上される。

ウ　資料の空欄①には△2,000が当てはまり、貸借対照表には繰延税金資産が2,000計上される。

エ　資料の空欄①には△2,000が当てはまり、貸借対照表には繰延税金負債が2,000計上される。

設問 3　税効果会計の会計処理

C社のある事業年度における税務調整項目の発生状況は次のとおりであった。

①　貸倒損失の損金不算入額：1,000 千円
②　減価償却費の損金算入限度超過額：2,000 千円
③　受取配当金の益金不算入額：500 千円

B社が税効果会計を適用した場合に行うべき仕訳として、最も適切なものはどれか。なお、法人税等の実効税率を40%とする（単位：千円）。

ア　（借方）繰延税金資産　1,400　（貸方）法人税等調整額　1,400
イ　（借方）繰延税金資産　3,500　（貸方）法人税等調整額　3,500
ウ　（借方）繰延税金資産　1,200　（貸方）法人税等調整額　1,200
エ　（借方）繰延税金資産　3,000　（貸方）法人税等調整額　3,000

解説

スピテキLink ▶ 11章5節1～3項

設問 1

POINT 税効果会計に関する問題である。一時差異と永久差異の違い、将来減算一時差異と将来加算一時差異の違いについて整理しておきたい。

税効果会計においては、税効果会計を適用するか否かにより差異を A：一時差異 と B：永久差異 に区分し、さらに A：一時差異 については、法人税等を繰り延べるのか見越計上するのかによって C：将来減算一時差異 と D：将来加算一時差異 に区分される。

また、C：将来減算一時差異 は、将来の課税所得を減額する効果をもつもの…

よって、A：一時差異、B：永久差異、C：将来減算一時差異、D：将来加算一時差異の組み合わせであるウが正解である。

なお、永久差異は、差異が永久に解消されないため、税効果会計は適用されない点に注意する。永久差異の具体的な項目には、受取配当金の益金不算入額、交際費の損金不算入額、寄付金の損金不算入額、罰科金の損金不算入額などがある。

正解 ▶ ウ

設問 2

POINT 当期において損金算入できなかった貸倒損失の分だけ課税所得が増加し、その結果税金の実際支払額と企業会計上「あるべき税金費用」の額との間に差額が生じている。そのため、税効果会計を適用した場合、損益計算書上の「法人税、住民税及び事業税」を減額し、その減額分を貸借対照表の資産に振り替えることで調整を行う（単位：千円）。

損金不算入となった貸倒損失を加えた課税所得が、105,000と計算された場合に、損益計算書上の「法人税、住民税及び事業税」は、105,000（課税所得）×0.4（法人税等の実効税率）＝42,000となる。

税効果会計とは、この「法人税、住民税及び事業税」を損益計算書上適切に期間配分し、税引前当期純利益（100,000）に対応させる手法である。

税引前当期純利益に対応した税額＝100,000（税引前当期純利益）×0.4（法人税等の実効税率）＝40,000

よって、将来減算一時差異＝42,000－40,000＝2,000となる。

損益計算書上の「法人税、住民税及び事業税」を調整する仕訳は、次のようになる。

（借方）繰 延 税 金 資 産　2,000　　（貸方）法人税等調整額　2,000

以上をふまえて資料の損益計算書（一部）を埋めると、以下のようになる。

損益計算書（一部）

（単位：千円）

税引前当期純利益		100,000
法人税、住民税及び事業税	（　42,000）	
法人税等調整額	（①△ 2,000）	（　40,000）
当期純利益		（　60,000）

ウ　○：仕訳より、空欄①には△2,000が当てはまる。また、貸借対照表には繰延税金資産2,000が計上される。

正解 ▶ ウ

設問 3

POINT 税効果会計において一時差異が発生する場合の仕訳についての問題である。

税効果会計とは、会計上の収益、費用と税法上の益金、損金の認識時点の相違などがある場合に、「法人税、住民税及び事業税」の額を適切に期間配分することにより、これらの税額を税引前当期純利益に対応させる手段である。

与えられた税務調整項目のうち、①および②については、将来減算一時差異が発生するため、税効果会計の対象となる。したがって、①と②の合計額3,000（千円）は税務上損金にならないため当事業年度の課税所得に加算される。これにより3,000×0.4＝1,200だけ法人税、住民税及び事業税が大きくなり、これを調整するために次のような仕訳を行うことになる。

（借方）繰延税金資産　1,200　　（貸方）法人税等調整額　1,200

なお、③については税効果会計の対象とならない永久差異であるため、考慮してはならない。

正解 ▶ ウ

Memo

問題 98　連結財務諸表に関する会計基準

1 ／ 2 ／ 3 ／

当社は、202X年３月31日にＡ社株式の80％を9,000千円で取得し、Ａ社を子会社とした。202X年３月31日における連結貸借対照表を作成した場合ののれんの金額として、最も適切なものを下記の解答群から選べ。

【資　料】個別財務諸表

当社貸借対照表　（単位：千円）

諸資産	29,000	諸負債	18,000
関係会社株式	9,000	資本金	10,000
		利益剰余金	10,000
	38,000		38,000

Ａ社貸借対照表　（単位：千円）

諸資産	15,000	諸負債	5,000
		資本金	5,000
		利益剰余金	5,000
	15,000		15,000

〔解答群〕

ア　0千円
イ　1,000千円
ウ　2,000千円
エ　3,000千円

解説

スピテキLink▶　11章7節2項

POINT 資本連結に関する問題である。連結財務諸表を作成するにあたり、親会社の投資勘定と子会社の資本勘定を相殺・消去する。そして、相殺・消去する子会社の資本勘定と親会社の投資勘定との差額を「のれん」として処理する。

202X年3月31日の処理は次のとおりである（単位：千円）。

（借）	資本金	5,000	（貸）	関係会社株式	9,000
	利益剰余金	5,000		非支配株主持分	2,000
	のれん※	1,000			

※貸借差額

正解 ▶ イ

問題99　連結財務諸表に関する会計基準

1 ／　2 ／　3 ／

のれんに関する次の記述として、最も適切なものはどれか。

ア　負ののれんが生じると見込まれる場合は、当該負ののれんが生じた事業年度の損失として処理する。

イ　のれんの当期償却額は、損益計算書上、営業外費用の区分に表示する。

ウ　のれんは減損処理の対象となる。

エ　自己創設のれんは、資産計上することが認められており、時価などの公正な評価額が取得原価となる。

解説

スピテキLink▶ 11章7節2項

POINT のれんに関する（理論）問題である。のれんは、企業結合や子会社連結の際に生じるものである。取得原価が取得した資産及び引き受けた負債に配分された純額を上回る場合は、その超過額を「のれん」として、無形固定資産に計上し、下回る場合は、その不足額を「負ののれん」として処理する。

ア ×：負ののれんが生じると見込まれる場合は、当該負ののれんが生じた事業年度の利益として処理する（原則として、特別利益に区分する）。

イ ×：のれんの当期償却額は、損益計算書上、販売費及び一般管理費の区分に表示する。

ウ ○：正しい。減損会計の適用対象資産は、固定資産に分類される資産であり、有形固定資産に属する建物・機械装置・土地等や無形固定資産に属するのれん等、さらに投資その他の資産に属する投資不動産等が適用対象となる。

エ ×：自己創設のれんは、恣意性の介入により資産として客観的な評価ができないため、貸借対照表への計上が認められない（時価を取得原価とすることなどはない）。現行の制度会計では、他の企業から事業の全部または一部を有償で取得した場合に限り、のれんとして資産計上することが認められている。

正解 ▶ ウ

問題 100 資産除去債務

1 ／ 2 ／ 3 ／

資産除去債務に関する説明として、最も適切なものの組み合わせを下記の解答群から選べ。

a 有形固定資産の除去とは、具体的には、売却、廃棄、リサイクル、転用や用途変更などが該当する。

b 資産除去債務は、貸借対照表上、固定負債の区分に表示する。ただし、貸借対照表日後１年以内に資産除去債務の履行が見込まれる場合には、流動負債の区分に表示する。

c 資産除去債務は、有形固定資産の除去に要する費用（割引前将来キャッシュフロー）を見積もり、当該金額により計上する。

d 資産計上された資産除去債務に対応する除去費用は、減価償却を通じて、当該有形固定資産の残存耐用年数にわたり、各期に費用配分する。

〔解答群〕

ア aとc

イ aとd

ウ bとc

エ bとd

解説

スピテキLink▶ 11章8節

POINT 資産除去債務に関する問題である。有形固定資産を除却する場合には、解体作業や廃材の処分などのために「除却費用」が生じることがある。そこで、法令または契約によって有形固定資産を除去する義務が生じている場合には、その義務を「資産除去債務」として負債の部に計上する。同時に、これと同額を固定資産の取得原価に含めて、耐用年数にわたり費用配分を行う。資産除去債務の価額の計算方法は、有形固定資産の除却費用（割引前将来キャッシュフロー）を見積もり、これを現在価値に割引いて求める。

a ×：有形固定資産の「除去」とは、有形固定資産を用役提供から除外することをいい、具体的には、売却、廃棄、リサイクルなどが該当する。よって、転用や用途変更および遊休状態になる場合には該当しない。

b ○：正しい。資産除去債務は、貸借対照表上、固定負債の区分に表示する。ただし、貸借対照表日後１年以内に資産除去債務の履行が見込まれる場合には、流動負債の区分に表示する。

c ×：資産除去債務は、有形固定資産の除去に要する費用（割引前将来キャッシュフロー）を見積もり、割引後の金額（割引価値）で計上する。

d ○：正しい。資産除去債務と同額を固定資産の取得原価に含めて、残存耐用年数にわたり費用配分を行う。

正解 ▶ エ

中小企業診断士　2025年度版
最速合格のためのスピード問題集　2　財務・会計

（2005年度版　2005年３月15日　初版 第１刷発行）
2024年９月25日　初　版　第１刷発行

編著者　ＴＡＣ株式会社
（中小企業診断士講座）
発行者　多田敏男
発行所　TAC株式会社 出版事業部
（TAC出版）
〒101-8383
東京都千代田区神田三崎町3-2-18
電話 03（5276）9492（営業）
FAX 03（5276）9674
https://shuppan.tac-school.co.jp
印刷　株式会社 光邦
製本　株式会社 常川製本

ISBN 978-4-300-11409-4
N.D.C. 335

資料請求は
こちらから!!

詳しい資料をお送りいたします。
右記電話番号もしくはTACホームページ
(https://www.tac-school.co.jp/)にてご請求ください。

通話無料 0120-509-117（ゴウカク イイナ）
受付時間 9:30〜19:00(月〜金) 9:30〜18:00(土・日・祝)
営業時間短縮の場合がございます。詳細はHPでご確認ください。

サポートサービスを活用しよう!

モチベーションを高める
（将来の選択肢 〜合格者のその後〜）

将来、中小企業診断士に合格して何ができるのか?合格者のその後を取材した記事を読んで合格後の夢を広げてモチベーションを高めましょう!

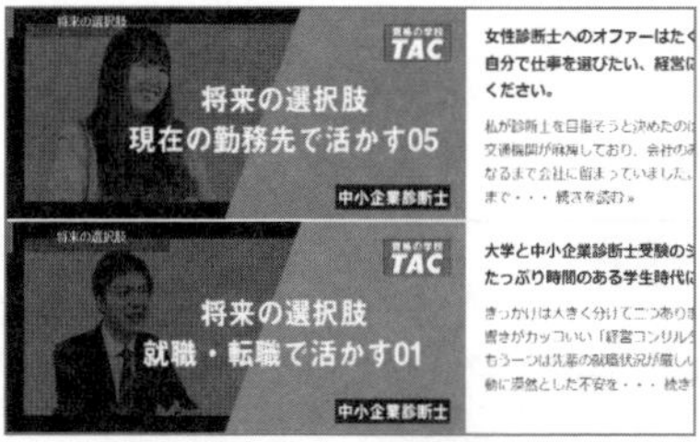

TAC 診断士とは 検索

https://www.tac-school.co.jp/kouza_chusho/chusho_sk_idx.html

TACのYoutube動画
（得する情報を提供中）

TACでは、Youtubeでも学習法や試験解説、実務家インタビュー等の動画を配信しています。是非、チャンネル登録してチェックしてみてください。

TAC 診断士 youtube 検索

https://www.youtube.com/@tac3644/videos

TAC中小企業診断士講座「第1回目講義」オンライン無料体験!
各コースの「第1回目」の講義が体験できます!

「体験Web受講」では、既にご入会されている受講生と同じWeb学習環境（TAC WEB SCHOOL）にて講義をご視聴いただけます。サンプルテキストを用意していますので、講義とあわせて教材の内容も確認してみてください。

独学では理解しづらかったり
時間がかかる内容もポイントを押さえて
スムーズに理解できるから短期合格できる

TAC 診断士 体験 検索

https://www.tac-school.co.jp/kouza_chusho/web_taiken_form.html

中小企業診断士講座のご案内

学習したい科目のみのお申込みができる、学習経験者向けカリキュラム

1次上級単科生(応用+直前編)

- □ 必ず押さえておきたい論点や合否の分かれ目となる論点をピックアップ!
- □ 実際に問題を解きながら、解法テクニックを身につける!
- □ 習得した解法テクニックを実践する答案練習!

カリキュラム ※講義の回数は科目により異なります。

←1次応用編 2024年10月～2025年4月→ ←1次直前編 2025年5月～→

1次上級講義
[財務5回／経済5回／中小3回／その他科目各4回]
講義140分/回
過去の試験傾向を分析し、頻出論点や重要論点を取り上げ、実際に問題を解きながら知識の再確認をするとともに、解法テクニックも身につけていきます。
[使用教材]
1次上級テキスト(上・下巻)(デジタル教材付)

➡INPUT⬅

→

1次上級答練
[各科目1回]
答練60分+解説80分
1次上級講義で学んだ知識を確認・整理し、習得した解法テクニックを実践する答案練習です。
[使用教材]
1次上級答練

⬅OUTPUT➡

→

1次完成答練
[各科目2回]
答練60分+解説80分/回
重要論点を網羅した、TAC厳選の本試験予想問題による答案練習です。
[使用教材]
1次完成答練

⬅OUTPUT➡

→

1次最終講義
[各科目1回]
講義140分/回
1次対策の最後の総まとめです。法改正などのトピックを交えた最新情報をお伝えします。
[使用教材]
1次最終講義レジュメ

➡INPUT⬅

1次試験【2025年8月】

1次養成答練 [各科目1回] ※講義回数には含まず。
基礎知識の確認を図るための1次試験対策の答案練習です。
(配布のみ・解説講義なし・採点あり)

⬅OUTPUT➡

さらに! 「1次基本単科生」の教材付き!(配付のみ・解説講義なし)

◇基本テキスト(デジタル教材付)

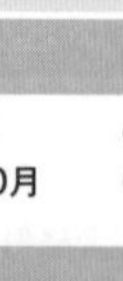

◇講義サポートレジュメ

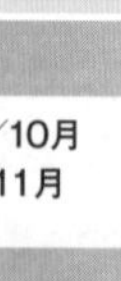

◇1次養成答練

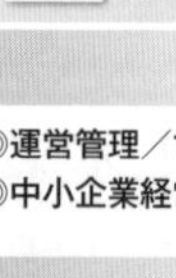

◇トレーニング

◇1次過去問題集

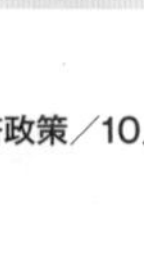

開講予定月

- ◎企業経営理論／10月
- ◎財務・会計／10月
- ◎運営管理／10月
- ◎経済学・経済政策／10月
- ◎経営情報システム／10月
- ◎経営法務／11月
- ◎中小企業経営・政策／11月

学習メディア

教室講座 ビデオブース講座 Web通信講座

1科目から申込できます! ※詳細はホームページまたは資料をご請求ください。(右上参照)

資料請求は
こちらから!!

詳しい資料をお送りいたします。
右記電話番号もしくはTACホームページ
(http://www.tac-school.co.jp/)にてご請求ください。

通話無料 **0120-509-117**（ゴウカク イイナ）
受付時間　9:30～19:00(月～金) 9:30～18:00(土・日・祝)
営業時間短縮の場合がございます。詳細はHPでご確認ください。

本試験を体感できる!実力がわかる!

2025(令和7)年合格目標　公開模試

受験者数の多さが信頼の証。全国最大級の公開模試!

中小企業診断士試験、特に2次試験においては、自分の実力が全体の中で相対的にどの位置にあるのかを把握することが非常に大切です。独学や規模の小さい受験指導校では把握することが非常に困難ですが、TACは違います。規模が大きいTACだからこそ得られる成績結果は極めて信頼性が高く、自分の実力を相対的に把握することができます。

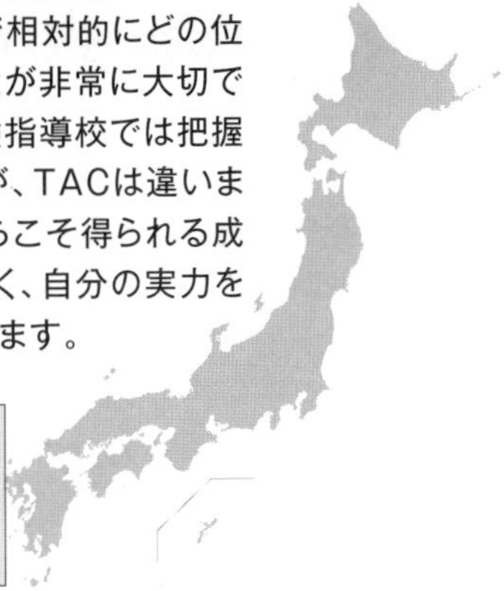

1次公開模試	2次公開模試
2024年度受験者数	2024年度受験者数
2,504名	**1,708**名

TACだから得られるスケールメリット!

規模が大きいから正確な順位を把握し効率的な学習ができる!

TACの成績は全国19の直営校舎にて講座を展開し、多くの方々に選ばれていますので、受験生全体の成績に近似しており、**本試験に近い成績・順位を把握**することができます。
さらに、**他のライバルたちに差をつけられている、自分にとって本当に克服しなければいけない苦手分野を自覚することができ**、より効率的かつ効果的な学習計画を立てられます。

実施予定

1次公開模試：2025年6/28(土)・29(日)実施予定
2次公開模試：2025年9/7(日)実施予定

詳しくは公開模試パンフレットまたはTACホームページをご覧ください。

1次公開模試：2025年5月上旬完成予定　2次公開模試：2025年7月上旬完成予定

https://www.tac-school.co.jp/　TAC　診断士　検索

TAC出版 書籍のご案内

TAC出版では、資格の学校TAC各講座の定評ある執筆陣による資格試験の参考書をはじめ、資格取得者の開業法や仕事術、実務書、ビジネス書、一般書などを発行しています！

TAC出版の書籍

＊一部書籍は、早稲田経営出版のブランドにて刊行しております。

資格・検定試験の受験対策書籍

- 日商簿記検定
- 建設業経理士
- 全経簿記上級
- 税　理　士
- 公認会計士
- 社会保険労務士
- 中小企業診断士
- 証券アナリスト
- ファイナンシャルプランナー(FP)
- 証券外務員
- 貸金業務取扱主任者
- 不動産鑑定士
- 宅地建物取引士
- 賃貸不動産経営管理士
- マンション管理士
- 管理業務主任者
- 司法書士
- 行政書士
- 司法試験
- 弁理士
- 公務員試験(大卒程度・高卒者)
- 情報処理試験
- 介護福祉士
- ケアマネジャー
- 電験三種　ほか

実務書・ビジネス書

- 会計実務、税法、税務、経理
- 総務、労務、人事
- ビジネススキル、マナー、就職、自己啓発
- 資格取得者の開業法、仕事術、営業術

一般書・エンタメ書

- ファッション
- エッセイ、レシピ
- スポーツ
- 旅行ガイド（おとな旅プレミアム/旅コン）

受験対策書籍のご案内　TAC出版

1次試験への総仕上げ

科目別 全7巻

①企業経営理論
②財務・会計
③運営管理
④経済学・経済政策
⑤経営情報システム
⑥経営法務
⑦中小企業経営・中小企業政策

最速合格のための
第1次試験過去問題集

A5判　12月刊行

● 過去問は本試験攻略の上で、絶対に欠かせないトレーニングツールです。また、出題論点や出題パターンを知ることで、効率的な学習が可能となります。

全2巻

1日目
（経済学・経済政策、財務・会計、企業経営理論、運営管理）
2日目
（経営法務、経営情報システム、中小企業経営・中小企業政策）

最速合格のための
要点整理ポケットブック

B6変形判　1月刊行

● 第1次試験の日程と同じ科目構成の「要点まとめテキスト」です。コンパクトサイズで、いつでもどこでも手軽に確認できます。買ったその日から本試験当日の会場まで、フル活用してください!

2次試験への総仕上げ

最速合格のための
第2次試験過去問題集

B5判　2月刊行

●問題の読み取りから解答作成の流れを丁寧に解説しています。抜き取り式の解答用紙付きで実践的な演習ができる1冊です。

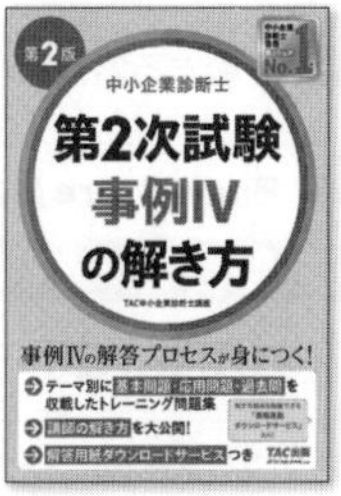

第2次試験
事例IVの解き方

B5判　**好評発売中**

●テーマ別に基本問題・応用問題・過去問を収載。TAC現役講師による解き方を紹介しているので、自身の解答プロセスの構築に役立ちます。

第2次試験
外さない答案への
攻略ロードマップ

B5判　**好評発売中**

●演習に加えて、テーマ設定、プロセス確認、出題者の意図の確認、出題者の立場での採点などを行うことにより、2次試験への対応力を高め不合格を回避できる力を身につけることができます。

TACの書籍はこちらの方法でご購入いただけます

1 全国の書店・大学生協　2 TAC各校 書籍コーナー　3 インターネット

CYBER BOOK STORE　TAC出版書籍販売サイト

アドレス https://bookstore.tac-school.co.jp/

・2024年7月現在　・価格等詳細は、決定しだい上記のサイバーブックストアに掲載されますのでご参照ください

書籍の正誤に関するご確認とお問合せについて

書籍の記載内容に誤りではないかと思われる箇所がございましたら、以下の手順にてご確認とお問合せをしてくださいますよう、お願い申し上げます。
なお、正誤のお問合せ以外の**書籍内容に関する解説および受験指導などは、一切行っておりません。**
そのようなお問合せにつきましては、お答えいたしかねますので、あらかじめご了承ください。

1 「Cyber Book Store」にて正誤表を確認する

TAC出版書籍販売サイト「Cyber Book Store」の
トップページ内「正誤表」コーナーにて、正誤表をご確認ください。

CYBER BOOK STORE TAC出版書籍販売サイト

URL:https://bookstore.tac-school.co.jp/

2 1の正誤表がない、あるいは正誤表に該当箇所の記載がない ⇒ 下記①、②のどちらかの方法で文書にて問合せをする

★ご注意ください★

お電話でのお問合せは、お受けいたしません。
①、②のどちらの方法でも、お問合せの際には、「お名前」とともに、
「対象の書籍名(○級・第○回対策も含む)およびその版数(第○版・○○年度版など)」
「お問合せ該当箇所の頁数と行数」
「誤りと思われる記載」
「正しいとお考えになる記載とその根拠」
を明記してください。
なお、回答までに1週間前後を要する場合もございます。あらかじめご了承ください。

① ウェブページ「Cyber Book Store」内の「お問合せフォーム」より問合せをする

【お問合せフォームアドレス】

https://bookstore.tac-school.co.jp/inquiry/

② メールにより問合せをする

【メール宛先 TAC出版】

syuppan-h@tac-school.co.jp

※土日祝日はお問合せ対応をおこなっておりません。
※正誤のお問合せ対応は、該当書籍の改訂版刊行月末日までといたします。

乱丁・落丁による交換は、該当書籍の改訂版刊行月末日までといたします。なお、書籍の在庫状況等により、お受けできない場合もございます。
また、各種本試験の実施の延期、中止を理由とした本書の返品はお受けいたしません。返金もいたしかねますので、あらかじめご了承くださいますようお願い申し上げます。

(2022年7月現在)